BAKUMAN。

8

Tsugumi Ohba
大場つぐみ

Takeshi Obata
小畑健

Culottes entraperçues et messie

kana

JMAN. VOLUME 8 vol. 8

Eiji Niizuma

Un jeune dessinateur de génie qui a décroché le prix Tezuka des jeunes auteurs à 15 ans seulement. Il a une série en cours dans le Jump qui marche très fort.

19 ans

Kaya Miyoshi

Amie de Miho et petite amie de Shûjin. Elle agit activement pour maintenir une bonne relation entre Saikô et Azuki. Fondamentalement, c'est une gentille fille.

18 ans

Akito Takagi

Surnommé Shûjin. Scénariste de mangas. Un surdoué, parmi les premiers de la classe. Garde toujours son sang-froid sauf lorsqu'on lui parle de mangas.

18 ans

Miho Azuki

Rêve de devenir doubleuse. Elle a accepté la proposition de Moritaka à une condition : "On ne se reverra plus tant qu'on n'aura pas réalisé nos rêves."

18 ans

Moritaka Mashiro

Dessinateur de mangas. Un ultraromantique qui s'est lié par une promesse avec Azuki : "Si nos rêves se réalisent ensemble, marions-nous."

18 ans

* Les âges donnés sont ceux que les personnages avaient au mois de juin 2012.

Histoire

Deux garçons veulent devenir mangakas, une route très difficile qui peut leur apporter une gloire à laquelle seule une petite poignée de personnes a accès. Voici l'histoire de Moritaka Mashiro, très doué pour le dessin, et d'Akito Takagi, doté d'aptitudes supérieures pour l'écriture, qui vont créer une nouvelle légende dans le monde des mangas !!

La rédaction du Weekly Shônen Jump

1	Directeur édito Sasaki	49 ans
2	Directeur adjoint Heishi	44 ans
3	Sôichi Aida	37 ans
4	Yûjirô Hattori	30 ans
5	Akira Hattori	32 ans
6	Kôji Yoshida	34 ans
7	Gorô Miura	25 ans
8	Masakazu Yamahisa	24 ans

La nouvelle bande d'auteurs talentueux

A	Shinta Fukuda	23 ans
B	Takurô Nakai	36 ans
C	Kô Aoki	22 ans
D	Kôji Makaino	32 ans
E	Kazuya Hiramaru	30 ans
J	Ryû Shizuka	18 ans
K	Aiko Iwase	19 ans
L	Ishizawa	19 ans

F Ogawa G Takahama H Katô I Yasuoka — Les assistants

BAKUMAN VOL.8 - SOMMAIRE - CULOTTES ENTRA-PERÇUES ET MESSIE

PAGE 62 ROMAN ET LETTRE 7
PAGE 63 DOUTE ET CONFIANCE 27
PAGE 64 NATUREL ET CACHOTTERIE 47
PAGE 65 TÊTU ET SIMPLE 67
PAGE 66 SINGE ET MARIAGE 87
PAGE 67 CULOTTES ENTRA-PERÇUES ET MESSIE 107
PAGE 68 TOILETTES ET BAIN 129
PAGE 69 AMIS À PART ET PROVINCE 149
PAGE 70 3e FOIS ET 2e HISTOIRE 169

Page 62
Roman et lettre

* LITTÉRALEMENT FIN D'ÉTUDES DE COULEUR VERTE.

TU AS REÇU LE PRIX "SUBARU" EN MARS, ET TON LIVRE EST DÉJÀ TERMINÉ TROIS MOIS PLUS TARD...
WAOUH... DE MIEUX EN MIEUX ! AU FAIT, C'EST UN PRIX DÉCERNÉ PAR SHÛEISHA...
ALORS, LORSQUE J'AI DEMANDÉ PAR HASARD À MON ÉDITEUR S'IL TE CONNAISSAIT, IL M'A APPRIS QUE TU ÉCRIVAIS DES SCÉNARIOS DE MANGAS DANS LE JUMP...
"PAR HASARD" ...?
AH... TU VOULAIS SAVOIR CE QUE JE DEVENAIS...
NE SOIS PAS PRÉTENTIEUX...

J'AI ÉCRIT UN ROMAN, ET JAMAIS MES ÉTUDES N'EN ONT PÂTI.
?
ET ALORS ? TU SOUS-ENTENDS QUE JE SUIS UN IDIOT PARCE QUE J'AI CHOISI DE NÉGLIGER MES ÉTUDES POUR FAIRE DU MANGA ?
EUH... JE CROIS QU'IWASE VOULAIT QUE TU VOIES CELLE QU'ELLE EST AUJOURD'HUI.

AH ! JE COMPRENDS... BRAVO !
DÉJÀ, AU COLLÈGE, TU LISAIS BEAUCOUP DE ROMANS, N'EST-CE PAS ?
COMMENCER UNE CARRIÈRE DE ROMANCIÈRE TOUT EN ÉTUDIANT SÉRIEUSEMENT, CHAPEAU ! JE T'ADMIRE.

...

TU ES VENUE EXPRÈS POUR ME DONNER ÇA ? MERCI BEAUCOUP...
BON, MOI, J'Y VAIS...

TU VAS QUAND MÊME CONTINUER LES MANGAS ?

"QUAND MÊME" ? QUE VEUX-TU DIRE ?
J'AI LU TOUS LES MANGAS DONT TU AS ÉCRIT LES HIS-TOIRES.
JE PENSE QUE TU POURRAIS TOUT À FAIT ÉCRIRE UN ROMAN.

OUI, ET ALORS ? TU VOUDRAIS QUE J'ÉCRIVE UN ROMAN, C'EST ÇA ?

EUH ...
LES ROMANS SONT AU-DESSUS DES MANGAS D'UN POINT DE VUE CULTUREL...
JE CROIS QUE C'EST CE QU'ELLE VEUT DIRE...
TOUT À FAIT.
...

OUI, SÛREMENT... COMPARÉS AUX ROMANS, LES MANGAS SONT FUTILES... MAIS JE VAIS "QUAND MÊME" CONTINUER.
TU RECONNAIS LEUR FUTILITÉ, MAIS TU N'ARRÊTES PAS POUR AUTANT ?!

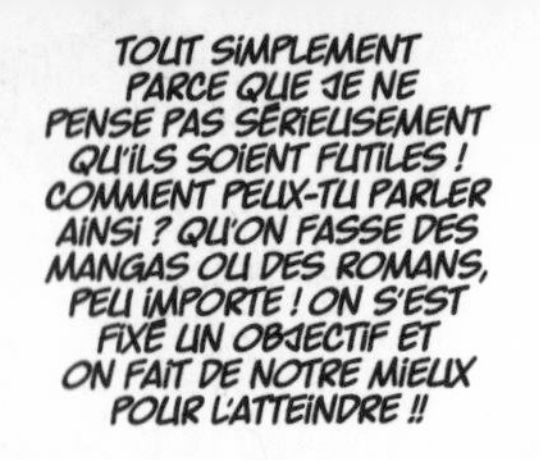
TOUT SIMPLEMENT PARCE QUE JE NE PENSE PAS SÉRIEUSEMENT QU'ILS SOIENT FUTILES ! COMMENT PEUX-TU PARLER AINSI ? QU'ON FASSE DES MANGAS OU DES ROMANS, PEU IMPORTE ! ON S'EST FIXÉ UN OBJECTIF ET ON FAIT DE NOTRE MIEUX POUR L'ATTEINDRE !!

...!
DÉ-SOLÉ, MAIS...
JE SUIS AUSSI DE CET AVIS.
NOUS AVONS LE MÊME SOUHAIT : QUE LES LECTEURS APPRÉCIENT NOTRE TRAVAIL...
LE JUMP ATTIRE PLUSIEURS MILLIONS DE LECTEURS CHAQUE SEMAINE... ET LES MANGAS AU FORMAT POCHE SONT ACHETÉS PAR MILLIONS... ALORS, JE SUIS PERSUADÉE QUE LE FAIT DE DONNER DU PLAISIR À TOUTES CES PERSONNES N'EST PAS DÉPOURVU DE SENS.
LES MANGAS DE POCHE VENDUS PAR MILLIONS, ÇA NE CONCERNE QU'UNE POIGNÉE D'AUTEURS...

PAR MIL-LIONS...
MON ROMAN A ÉTÉ TIRÉ À 30 000 EXEM-PLAIRES...
ON NE JUGE PAS LA VALEUR D'UNE ŒUVRE SUR SES VENTES...
EN EFFET, ET C'EST POUR ÇA QUE JE T'AI DIT QUE TA COMPARAISON ÉTAIT INAPPROPRIÉE.
VOULOIR PLACER LES ROMANS AU-DESSUS DES MANGAS D'UN POINT DE VUE CULTUREL, ÇA N'A AUCUN SENS.
JE... DANS CE CAS...

... Moi aussi, je vais écrire des scénarios de mangas, comme vous deux.
!?
Iwase !? Qu'est-ce que tu racontes ?!
Je ne veux pas écrire de roman. Alors, toi, tu te mets au manga...!?
Pourquoi faut-il que l'on soit sur le même terrain ? Tu as eu le prix "Subaru", c'est déjà assez impressionnant !
Tu n'as plus à prouver ta valeur ! Tu aimes les romans ? Alors, écris des romans !
Tu as peur que je sois meilleure que toi ?
Mais non, là n'est pas la question... et puis ça n'arrivera pas ! Mais pourquoi les mangas ?!
Je...
...
Je n'admets pas que tu puisses être meilleur que moi. Je veux faire jeu égal avec toi.
...?
Iwase... calme-toi et réfléchis un peu à ce que tu es en train de dire... C'est stupide.
Pas du tout.

TU ES PARTI APRÈS M'AVOIR FAIT COMPRENDRE QUE, DANS LES ÉTUDES, TU POUVAIS DEVENIR LE MEILLEUR SI TU EN AVAIS ENVIE.
J'AI ÉCRIT MON PREMIER ROMAN ET, MÊME SI TU ME DIS QUE TU M'ADMIRES POUR ÇA, JE VOIS BIEN SUR TON VISAGE QUE TU TE SENS ENCORE SUPÉRIEUR À MOI.
MAIS QUE VAS-TU CHERCHER, ENFIN ?! PARLER DE DÉFAITE OU DE VICTOIRE, C'EST BIZARRE, JE TE DIS...
IL EST ÉVIDENT QUE, SUR CES CRITÈRES-LÀ, TU AS LE DESSUS !
MENTEUR ! JE SAIS QUE TU NE LE PENSES PAS VRAIMENT !

MAIS... QUELLE GAMINE...
SI ! C'EST LA VÉRITÉ ! TU ÉTUDIES À TÔÔ ET TU ÉCRIS DES ROMANS ? MOI, JE DIS CHAPEAU !
MOI, JE NE SUIS QU'À LA FAC DE YANA...
ET J'AJOUTE QUE TU ES TRÈS BELLE ! EXTÉRIEUREMENT COMME INTÉRIEUREMENT, TU DÉPASSES MILLE FOIS MIYOSHI !

VOUS SORTEZ TOUJOURS ENSEMBLE, ELLE ET TOI ?
EUH... OUI...
SI JE SUIS MILLE FOIS MIEUX QU'ELLE, ALORS, SORS AVEC MOI !
AH...
EUH...

LE PROBLÈME, C'EST QUE JE L'AIME ENCORE MILLE FOIS PLUS QUE TOI...
QU'EST-CE QUE JE DISAIS ? TU DIS QUE TU M'ADMIRES, MAIS...
... C'EST FAUX.
TAC
J'EN AI ASSEZ. MERCI D'ÊTRE VENU.
...
...
QU'EN PENSES-TU ? POUR MOI, CE N'EST PAS UNE QUESTION D'AMOUR, C'EST JUSTE QU'ELLE DÉTESTE PERDRE, NON ?
ON DIRAIT BIEN QU'ELLE VEUT QUE TOI, TU RECONNAISSES SES QUALITÉS. DONC, ELLE T'AIME.
C'EST QUAND MÊME BIZARRE DE VOULOIR ME PRENDRE POUR RIVAL À CE POINT-LÀ, NON ?
...
PEUT-ÊTRE A-T-ELLE, COMME MOI, TRÈS PEU D'AMIS...
CE SERAIT UNE MANIÈRE DE SE FAIRE ACCEPTER PARMI NOUS...
HUM... NON...
... MAIS TU CROIS QU'ELLE VA VRAIMENT ESSAYER D'ÉCRIRE DES SCÉNARIOS DE MANGAS ?
OUI... J'EN SUIS SÛRE... ET JE PENSE QU'ELLE PEUT RÉUSSIR.
!

QUOI ?!
TU SERAS, TOI AUSSI, DANS LE PROCHAIN AKAMARU, AOKI ?
OUI.
ON VA ÊTRE EN CONCURRENCE DANS LE MÊME NUMÉRO. ALORS, JE PENSE QU'IL VAUT MIEUX QU'ON ARRÊTE D'ÉCHANGER NOS AVIS COMME ON L'A FAIT JUSQU'À PRÉSENT...
サル山
TU CROIS ...?
PERSONNELLEMENT, SI CELA NOUS PERMET D'AMÉLIORER ENCORE NOS HISTOIRES, JE PENSE QU'ON PEUT CONTINUER...
...
JE RECONNAIS QUE LES CONSEILS QUE TU M'AS DONNÉS M'ONT ÉTÉ TRÈS BÉNÉFIQUES DANS L'HISTOIRE D'AMOUR QUE J'ÉCRIS EN CE MOMENT.
ET TOI ?
C'EST PAREIL POUR MOI, BIEN SÛR.
...
ÉCOUTE, JE VAIS RENTRER ET EN PARLER AVEC MASHIRO.
SI JAMAIS IL ME DONNE LE FEU VERT, TU ES D'ACCORD POUR CONTINUER NOS ÉCHANGES ?
OUI.

* LA MONTAGNE DES SINGES.

集英社
HA ! HA ! HA !
CLIC ! CLIC !
ÇA, C'EST TRÈS BIEN.
HA ! HA ! HA !
YAMA-HISA !
TU PIANOTES SUR TON ORDINATEUR EN RIGOLANT... JE PEUX SAVOIR CE QUE TU FAIS ?
HEIN ? LE "CHAT", VOUS CONNAISSEZ ? ÇA PERMET DE COMMUNIQUER EN DIRECT EN TAPANT SUR LE CLAVIER DE SON ORDINATEUR.
TU CHATTES SUR TON LIEU DE TRAVAIL ?!
NON, C'EST UNE RÉUNION !
CLAC カチャ カチャ CLAC
UNE RÉUNION ?
AVEC SHIZUKA, QUI A DESSINÉ "SHAPON". IL SOUFFRE D'UNE SORTE DE PHOBIE SOCIALE... EN TOUT CAS, IL DÉTESTE LES AUTRES DE FAÇON EXTRÊME ET IL EST INCAPABLE DE DISCUTER FACE À FACE AVEC QUELQU'UN...
PAR CONTRE, DE PC À PC, IL PARLE ÉNORMÉMENT, ET IL S'AVÈRE TRÈS INTÉRESSANT.
CLAC ! CLAC !
SES NEMUS, IL LES SCANNE ET IL ME LES ENVOIE PAR COURRIEL.
TAC
EUH... ÇA, CE SONT CEUX QUE J'AI IMPRIMÉS. QU'EN DITES-VOUS ?

* SHŪEISHA.

!
DES HUMAINS QUI S'ENTRETUENT À COUPS DE SABRE, ÇA NE PASSERA PAS !
SAT
ECO !!
ECO !
LISEZ JUSQU'AU BOUT. CE NE SONT PAS DES HUMAINS, MAIS DES "TRUE HUMANS".
SAT !
ON SE SENT LIBÉRÉ APRÈS LA LECTURE, VOUS NE TROUVEZ PAS ?
HUM... EN TOUT CAS, C'EST FORT...
POUR CEUX DE MA GÉNÉRATION QUI ONT GRANDI AVEC LES JEUX VIDÉO, C'EST VRAIMENT TROP BON.
VOUS VOYEZ CES JEUX DANS LESQUELS ON DOIT SE CONTENTER DE FLINGUER TOUT CE QUI PASSE POUR PROGRESSER ? ON DIRAIT QU'IL EN A FAIT UNE TRANSPOSITION FIDÈLE EN MANGA. AVEC LE STYLE DE SHIZUKA, ÇA POURRAIT BIEN ÊTRE ENCORE PLUS IMPRESSIONNANT QUE LES JEUX VIDÉO.
CLAC ! CLAC !
SI CE GENRE DE MANGA MARCHE, C'EST QUE NOTRE SOCIÉTÉ EST FINIE...
ENTRE NOUS, ÇA FAIT LONGTEMPS QU'ELLE EST FINIE... CETTE HISTOIRE, JE VEUX QU'ELLE SOIT DANS L'AKAMARU.
TAC
JE RECONNAIS QU'IL A DU TALENT... S'IL FAIT CETTE HISTOIRE, IL FAUT QU'IL Y AIT UN DÉNOUEMENT CLAIR, QU'IL NE RESTE QUE LES HOMMES OU LES TRUE HUMANS.
ALORS QUE C'EST L'AMBIGUÏTÉ QUI REND ÇA INTÉRESSANT ?
COMME VOUS VOULEZ. JE VAIS LUI DIRE ÇA MAINTENANT.
CLAC ! CLAC !

IWASE, SCÉNARISTE DE MANGAS ?!
NE ME DIS PAS QU'ELLE VISE LE JUMP ?!
JE CROIS QUE C'EST CLAIR ! ELLE ME CONSIDÈRE COMME SON RIVAL N° 1, ALORS...
ELLE N'A PAS L'AIR DE SE RENDRE COMPTE QUE LA LITTÉRATURE PURE EST DAVANTAGE FAITE POUR ELLE...

CELA DIT, LE MAQUILLAGE, C'EST DINGUE CE QUE ÇA CHANGE UNE FILLE... ENTRE ELLE ET AOKI, IL SERAIT DIFFICILE DE CHOISIR... ELLES SE RESSEMBLENT QUELQUE PART...
EN TOUT CAS, UN CONSEIL : NE DIS SURTOUT PAS À MIYOSHI QUE TU AS REVU IWASE.
ÉVIDEMMENT !
ET SON ROMAN, IL EST COMMENT ?
JE L'AI LU DANS LE TRAIN AU RETOUR, MAIS J'AI CRAQUÉ AVANT D'ATTEINDRE UN TIERS DE L'HISTOIRE... MOI, À PART LA SF ET LES ROMANS POLICIERS GRAND PUBLIC, J'AI DU MAL...

C'EST UN CADEAU, TU POURRAIS FAIRE UN EFFORT !
FLAP !
...? BEN, DIS DONC... C'EST DE LA VRAIE LITTÉRATURE...
C'EST CENSÉ ÊTRE INTÉRESSANT ? PEUT-ÊTRE QU'ON N'A PAS LE NIVEAU POUR LIRE ÇA...
OUI, SÛREMENT... AOKI A DIT QUE C'ÉTAIT BIEN, ALORS...

SI ELLE ÉCRIT CE GENRE DE TRUCS, JE NE LA VOIS PAS RÉUSSIR À RÉDIGER UN SCÉNARIO DE MANGA.
SI ON EN CROIT AOKI, QUELQU'UN QUI EST ADMIS À TÔÔ ET QUI EST CAPABLE D'ÉCRIRE UN ROMAN D'UNE TRAITE COMME ÇA Y ARRIVERA À COUP SÛR.
QU'ELLE LE FASSE SI ELLE LE PEUT, MAIS...
TU CROIS QUE C'EST AUSSI SIMPLE QUE ÇA ?

AH...
... AU FAIT, AOKI VA AUSSI ÊTRE PUBLIÉE DANS LE PROCHAIN AKAMARU.
QUOI ?! FALLAIT COMMENCER PAR LÀ !
PAR CONSÉQUENT...
... ÇA VEUT DIRE QU'ON VA ÊTRE EN CONCURRENCE DIRECTE... DU COUP, ELLE PENSE QU'IL VAUT MIEUX ARRÊTER D'ÉCHANGER NOS AVIS...
...
FLAP
SI TU PENSES QUE C'EST POSITIF POUR TOI, TU N'AS QU'À CONTINUER.
ON EST D'AC-CORD.
♫
TAKA-HAMA ?
M. MIURA M'A DIT QUE VOUS ALLIEZ FAIRE UN GAG MANGA POUR L'AKAMARU, C'EST VRAI ?
OUI, POUR-QUOI ?

RÉFLÉCHISSEZ-Y À DEUX FOIS... J'AI MIS PLEIN D'HUMOUR DANS "BB KENICHI" ET, MÊME SI M. MIURA DIT QU'ON SERA DANS LE TOP 10, JE CROIS QUE, POUR DESSINER LONGTEMPS UN GAG MANGA, IL FAUT VRAIMENT AVOIR DU TALENT POUR ÇA.
MOI, JE N'EN PEUX PLUS... JE SUIS PERSUADÉ QUE JE DEVRAIS LUTTER DANS LE GENRE OÙ JE SUIS LE PLUS FORT.

MERCI POUR TON CONSEIL...
... MAIS ON A PRIS NOTRE DÉCISION, ET SHŪJIN EST TRÈS MOTIVÉ.
AH BON ? DANS CE CAS, J'AURAIS MIEUX FAIT DE ME TAIRE...

AUTRE CHOSE...
TU AVAIS REMARQUÉ QUE KATÔ AVAIT UN FAIBLE POUR TOI, NON ?
OUI, PLUS OU MOINS...
TU PEUX ÊTRE RASSURÉ. ELLE EST MAINTENANT SOUS LE CHARME DE M. NAKAI.
IL A PRIS NAKAI COMME ASSISTANT ?
IL EST VENU DONNER UN COUP DE MAIN... IL EST CLAIR QUE KATÔ AIME LES DESSINATEURS. ELLE EST ÉMERVEILLÉE PAR LA MAÎTRISE TECHNIQUE DE M. NAKAI !

MAIS JE CROYAIS QUE LUI, IL ÉTAIT AMOUREUX D'AOKI...
ON NE LE DIRAIT PAS : IL EST À FOND SUR KATÔ... ET POUR TRAVAILLER DANS CETTE AMBIANCE, JE NE TE RACONTE PAS...
HA ! HA ! VOUS ALORS, MONSIEUR NAKAI...
あはは…
HAHAHAHA
...
EH BEN... POURVU QUE CE SOIT UNE FILLE, ÇA L'INTÉRESSE...

ALORS, BON COURAGE POUR L'AKA-MARU !
ENFIN...
HA HA HA HA HA HA
MER-CI !
TACI
SAT
BONNE NOUVELLE POUR TOI ET AOKI, NON ?
SURTOUT POUR AOKI QUE CETTE SITUATION AVAIT L'AIR D'EMBARRASSER...
CLAP
BON ! JE VAIS RENTRER CHEZ MOI ET APPELER AOKI POUR LA PRÉVENIR QU'ON CONTINUE NOS ÉCHANGES ET LUI EXPLIQUER CE QUI ARRIVE À M. NAKAI.
O.K. POUR QUE TU LUI PARLES, MAIS N'OUBLIE PAS LES NEMUS.
CLAC
NON. DEMAIN, JE VIENDRAI AVEC LA PREMIÈRE PARTIE DE L'HISTOIRE EN DEUX CHAPITRES.
SALUT !
VLAM
ET IL PART EN OUBLIANT LE ROMAN D'IWASE !
HOP
C'EST BIEN LA PREUVE QU'ELLE LE LAISSE TOTALEMENT INDIFFÉRENT...
SLAT

301
AOKI
...
UNE FILLE QUI EST ASSISTANTE AVEC LUI CHEZ UN DESSINATEUR ?
OUI. DONC, TU N'AS PLUS À T'INQUIÉTER POUR LUI.
IL SE TROUVE QU'ELLE EST BIEN PLUS ÂGÉE QUE TOI. PARFAITE POUR LUI, QUOI !
?
...
PARDON, MAIS IL FAUT QUE JE TRAVAILLE SUR MES NEMUS, ALORS...
OUI, BIEN SÛR, PARDON ! AU REVOIR !
PARCE QUE JE VOUS AIME !
QUEL MUFLE...

DEUX JOURS PLUS TARD...
C'EST LA RÉPONSE AUX NEMUS QUE TU AS FAXÉS ?
OUI, SÛREMENT.
RRRRRR
R
C'EST BIEN ! VOUS AVEZ EU RAISON DE VISER UN PUBLIC PLUS JEUNE QUE CELUI DE "TEN" !
C'EST VRAI ?
OUI. ET ON VA ENCORE RAJOUTER DES GAGS. ON PEUT SE VOIR POUR UNE RÉUNION MAINTENANT ?
JE PARS, ON SE RETROUVE AU RESTO HABITUEL ?
OUI !
TAP
RENDEZ-VOUS DANS UNE HEURE... DOMMAGE, J'AVAIS PRESQUE MIS EN FORME LE CHAPITRE 2...
TANT PIS, ON L'APPORTE EN L'ÉTAT.
TAP
DING DONG
C'EST LA FEMME DE MÉNAGE !
MIYOSHI...
ON PART À NOTRE RÉUNION AVEC M. MIURA...
QUOI ? ET MOI QUI SUIS VENUE EXPRÈS POUR FAIRE LE MÉNAGE ...
T'EN FAIS PAS, ON S'EN CHARGERA.
OUI, BEN NON : SI JE VOUS LAISSE FAIRE, DANS UN MOIS, CE SERA TOUJOURS DANS LE MÊME ÉTAT.

ALLEZ ! JE VAIS FAIRE BRILLER TOUT ÇA !
MAIS ON RISQUE DE RENTRER TRÈS TARD. ALORS, C'EST BON !
PAS QUESTION !
...
SAT !
MIYOSHI...
?
!
C'EST UN DOUBLE DE LA CLÉ.
AVEC ÇA, TU PEUX ENTRER ET SORTIR QUAND TU LE SOUHAITES.
SAIKÔ... TU ES SÛR ?
BONNE RÉUNION !
NE CRIE PAS COMME ÇA !
HA ! HA !
VRAIMENT...
... LES GARÇONS ET LE MÉNAGE, ÇA FAIT DEUX...
FLAP
FLAP

OUPS !
TAC !
SAT
?
QU'EST-CE QUE C'EST ? DU PAPIER À LETTRES DANS UN LIVRE...

Pour Akito Takagi

Cette rencontre s'est décidée soudainement.
Alors, je n'ai pas beaucoup de temps pour écrire avant qu'on
se voie. Je ne sais pas si j'arriverai à te parler normalement,
alors, j'ai choisi de t'écrire ce que j'ai à dire dans cette
lettre. Je suis très contente de te revoir...
C'est sincère. J'aimerais que l'on s'encourage mutuellement
à l'avenir. C'est ce que j'ai toujours souhaité. Une rencontre
au zoo... J'espère qu'on passera un moment agréable
ensemble.

18 juin 2012 Aiko Iwase

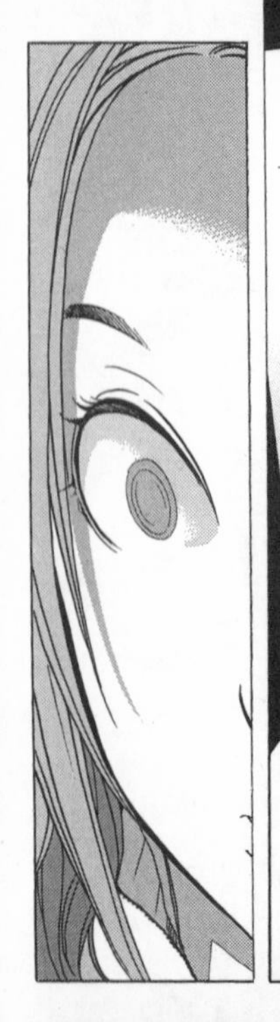

IWASE...
C'EST DATÉ D'HIER... LE ZOO...
IL M'A MENTI POUR ALLER LA VOIR...
J'Y VAIS POUR LE TRAVAIL ! ON Y RETOURNERA ENSEMBLE APRÈS ! PROMIS !

EN PLUS, ÇA RESSEMBLE BEAUCOUP À LA RELATION ENTRE MASHIRO ET MIHO...
IL M'A CACHÉ ÇA...

ポト
TAC

La saison bleu ciel
Paysage arrondi
L'or de la classe
Coloration de fin d'études
PRIX SUBARU
PREMIER ROMAN

カチャ…
CLAC

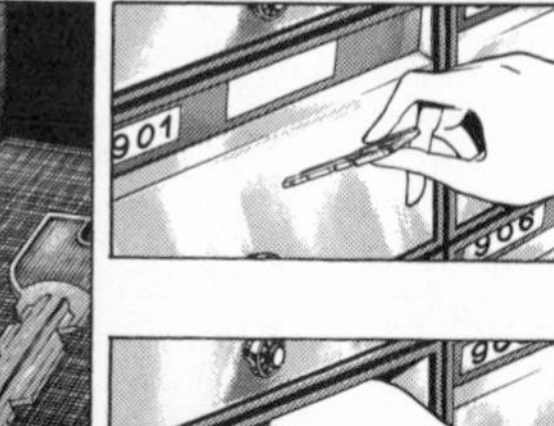
901

カチャン…
CLING

カチャ
CLIC
カチャ
CLIC

カチャ…
CLIC

…
NON… NE PLEURE PAS…
SURTOUT PAS AVANT D'ARRIVER À LA MAISON…

UUH…
UUH…

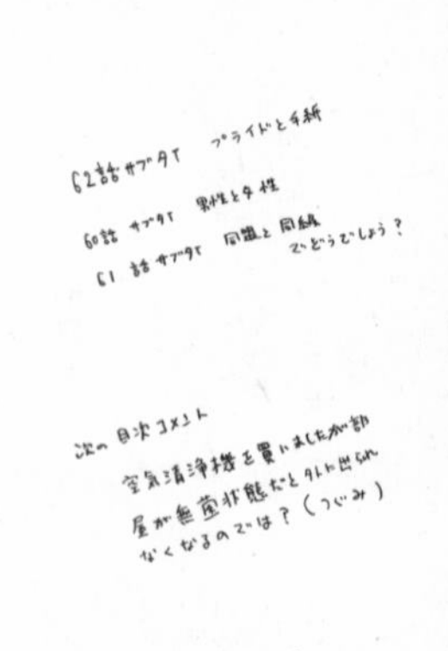

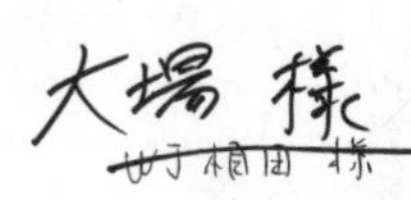

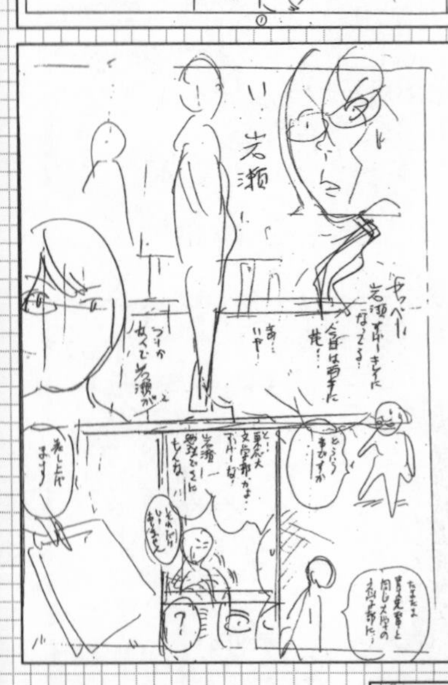

LES NEMUS D'OBATA

キャットの画面
プリントしたものが
ほしいです。

La planche terminée !

BAKUMAN · VOL. 8
Du découpage à la planche finie
Épisode 62 - page 7

UUH...
TAKAGI ET IWASE... L'AUTEUR DE CE ROMAN, AIKO AKINA, C'EST ELLE, ÉVIDEMMENT... ELLE A DU TALENT, ET IL DOIT PRÉFÉRER ÇA, BIEN SÛR...
r Akito Takagi
rencontre s'est décidée soudainement.
, je n'ai pas beaucoup de temps pour écrire avant qu'on
oie. Je ne sais pas si j'arriverai à te parler normalement,
lors, j'ai choisi de t'écrire ce que j'ai à dire dans cette
lettre. Je suis très contente de te revoir...
C'est sincère. J'aimerais que l'on s'encourage mutuellement
à l'avenir. C'est ce que j'ai toujours souhaité. Une rencontre
au zoo... J'espère qu'on passera un moment agréable
ensemble.
18 juin 2012 Aiko Iwase

MOI, JE NE SUIS BONNE QU'À FAIRE LE MÉNAGE...
CLIC
CLIC
Page 63
Doute et confiance

À QUI JE PEUX CONFIER ÇA...?
CLAP!

TAP TAP
KAYA !
CLAC

HEIN ? TAKAGI AVEC IWASE ?
OUI...
ON DIRAIT QU'ILS SE SONT SOUTENUS MUTUEL-LEMENT, COMME MASHIRO ET TOI...
DEPUIS QUATRE ANS... TAKAGI DANS LE MANGA, IWASE DANS LA LITTÉRA-TURE...
TU VEUX M'EN DIRE UN PEU PLUS...?

J'AI TROUVÉ UNE LETTRE GLISSÉE DANS UN LIVRE...
VOOOOO
UNE LETTRE ? ALORS QU'AUJOURD'HUI TOUT LE MONDE COMMUNIQUE PAR MAIL ? TU EN AS PARLÉ AVEC TAKAGI ?
NON, PAS ENCORE... JE VIENS DE LA DÉCOUVRIR, ET IL EST EN RENDEZ-VOUS AVEC SON ÉDITEUR EN CE MOMENT.

TU DEVRAIS LUI EN PARLER CLAIREMENT.
MAIS... ÇA ME FAIT PEUR...
UUH
UUH
SNIF
TOUS LES SOIRS, IL PASSE DES HEURES AU TÉLÉPHONE AVEC ELLE, ET IL EST MÊME ALLÉ AU ZOO AVEC ELLE, EN AMOUREUX...
...

EN TOUT CAS, SI CE QUE TU DIS EST VRAI, ET SI JAMAIS MASHIRO ÉTAIT AU COURANT QUE TAKAGI VOYAIT IWASE ET QU'IL L'A CACHÉ, IL EST COMPLICE !
ET ÇA, CE SERAIT IMPARDONNABLE !
HEIN ?
ATTENDS, C'EST TAKAGI QUI ME TROMPE ! MASHIRO N'Y EST POUR RIEN.
BIEN SÛR QUE SI ! IL T'A MENTI POUR COUVRIR TAKAGI. C'EST VRAIMENT DÉGUEULASSE.
...
AH... MAIS, TU SAIS, ILS SONT CONCENTRÉS SUR LEUR HISTOIRE QUI DOIT PARAÎTRE DANS L'AKAMARU. CE N'EST PAS VRAIMENT LE MOMENT DE LES INTERROGER LÀ-DESSUS.
ALORS, JE T'EN PRIE, POUR L'INSTANT, NE LEUR EN PARLE PAS.
D'AC-CORD ?
KAYA...
TU N'AS PAS À TE MONTRER SI GENTILLE AVEC EUX...
NON, MAIS JE N'AIMERAIS PAS QUE ÇA PERTURBE LEUR MANGA...
MOI NON PLUS, BIEN SÛR, MAIS...
... TU TE SENS PRÊTE À PASSER L'ÉPONGE ?
OUI... J'Y SURVIVRAI...
...

ファミレス*
in
南谷草店
24時間営業
EN TOUT CAS...
... DANS UN GAG MANGA, IL FAUT DE BONS GAGS, EN GRANDE QUANTITÉ !
IL FAUT FAIRE RIRE AU MOINS TROIS FOIS PAR PAGE !
VOUS PLAISANTEZ ? SUR 45 PAGES, ÇA VEUT DIRE 135 FOIS !
* RESTAURANT FAMILIAL.
EXACTEMENT ! LE HÉROS, C'EST TANTO DAIHATSU !
SON GRAND-PÈRE L'INVENTEUR, C'EST MEIJIN DAIHATSU.
L'HÉROÏNE, C'EST PARETTO SUZUKI.
RIEN QU'À VOIR CES NOMS, MOI, ÇA M'A FAIT RIRE.
LE TITRE "COURS, TANTO DAIHATSU" EST SIMPLE ET DIRECT, C'EST BIEN !
COURS, TANTO DAIHATSU
VOUS SAVEZ QUE TOUT ÇA EST PROVISOIRE, PAS VRAIMENT RÉFLÉCHI ?
EN PLUS, C'EST LA REPRISE D'UN SLOGAN D'UNE PUB POUR DES VOITURES.
JUSTEMENT ! C'EST ÇA QUI EST BIEN !
TU N'AS QU'À METTRE TOUS LES GAGS AUXQUELS TU PENSES, ET ON ENLÈVERA CEUX QUI SONT SUPERFLUS. QU'EN DIS-TU ?
OUI, C'EST UNE MANIÈRE DE FAIRE POSSIBLE.
...
DITES... IL EST PLUS DIFFICILE D'OBTENIR DES VOTES AVEC UN GAG MANGA, N'EST-CE PAS ?

VOILÀ EXACTEMENT LE BON ÉTAT D'ESPRIT ! N° 1 HAUT LA MAIN !!
OUI !
...
OUI, PEUT-ÊTRE, MAIS MÊME SI LES VOTES SONT UN PEU MOINS BONS, COMPARÉE À UN "MANGA À HISTOIRE", LA SÉRIE A PLUS DE FACILITÉ À SE MAINTENIR. ON LE VOYAIT BIEN DANS LES CHIFFRES, N'EST-CE PAS ?
NOUS AVONS DÉJÀ L'EXPÉRIENCE D'UNE SÉRIE, ON A LA CHANCE DE FAIRE LA COUVERTURE. ALORS, ON VEUT DÉCROCHER LA PREMIÈRE PLACE HAUT LA MAIN.
HISTOIRE
GAGS
L'ÉCHÉANCE POUR LES PLANCHES, C'EST DÉBUT JUILLET, N'EST-CE PAS ?
OUI. VERS LE 10.
JE VOUDRAIS SIMPLIFIER ENCORE MON DESSIN ET JE PENSE QUE LE DESIGN DÉFINITIF DES PERSONNAGES VA ME PRENDRE DU TEMPS.
OUI, JE COMPRENDS, MAIS DANS CE GENRE DE MANGA, C'EST LE FOND QUI COMPTE. INUTILE DE DONNER TROP D'IMPORTANCE AU DESSIN.
TU SAIS QUE TON DESSIN EST PRESQUE DÉJÀ TROP BON, MASHIRO...

JE CHERCHE UN STYLE QUI PUISSE PLAIRE AUX ENFANTS...
... ET J'AIMERAIS QU'ON RECONNAISSE LES PERSONNAGES AU PREMIER COUP D'OEIL.
C'EST POUR ÇA QUE JE VOUDRAIS AVOIR DU TEMPS.
SAT
SAT
AUTREMENT DIT...?
PAR EXEMPLE, LE HÉROS EST ENCORE TROP ORDINAIRE. ON NE LE DISTINGUE PAS ASSEZ DES AUTRES ENFANTS.
J'AIMERAIS BIEN UN PETIT CHIEN COMME ÇA...
QU'EN PENSES-TU, TANTO ?
OUI, C'EST VRAI ...
CE N'EST PAS FAUX, EN EFFET...

C'EST UN PEU VIEUX, MAIS J'AIME BIEN LE PERSONNAGE D'HIROSHI DANS "DOKONJÔ GAERU". SON VISAGE EST ORDINAIRE, MAIS IL A UNE PAIRE DE LUNETTES SUR LA TÊTE, ET ÇA LE REND RECONNAISSABLE TOUT DE SUITE.
OUI, C'EST JUSTE. C'EST UN PEU COMME LES ESPÈCES D'ÉPAULETTES QUE PORTE MASARU.

VU COMME ÇA, C'EST VRAI QUE C'EST IMPORTANT. LA COIFFURE PERMET DE DONNER FACILEMENT UNE PARTICULARITÉ, MAIS, SI C'EST TROP EXCESSIF, ÇA DEVIENT ORDINAIRE...
TRAVAILLONS BIEN LE DESIGN DES PERSONNAGES JUSQU'À EN ÊTRE PLEINEMENT SATISFAITS.
OUI.

LE PETIT ANIMAL DE COMPAGNIE, NYANWANCHÛPIYOPIYO... ENFIN, "NIWACHIPI", JE LE TROUVE BIEN.
HEIN...?
NIWACHIPI !
VAS-Y, TANTO !
NIWACHIPI !

OUI... IL EST MIGNON ET MOCHE À LA FOIS. C'EST SON CÔTÉ DESSINÉ VITE FAIT QUI LUI DONNE DU CARACTÈRE.
HA HA

QU'EN PENSES-TU, SHÛJIN ?
JE L'AIME BIEN AUSSI. IL N'EST PAS TROP BEAU, C'EST CHOUETTE.

À PART TANTO, IL Y A AUSSI LE GRAND-PÈRE MEIJIN, PARETTO SUZUKI, LA PROFESSEURE NOA TOYOTA, ETC.
JE DOIS TROUVER PLEIN DE BONS DESIGNS.

O.K., J'AI COMPRIS. MASHIRO, CONCENTRE-TOI SUR TES DESSINS. LES PROCHAINES RÉUNIONS, ON LES FERA SANS TOI, AVEC TAKAGI.
OUI...
D'ACCORD.

BON ! ALORS, POUR LE PREMIER CHAPITRE SUR LA CRÉATION DE NIWACHIPI...

LÀ, IL A "UN CARTABLE ANTIGRAVITATIONNEL QUI PERMET DE PORTER AUTANT DE MANUELS QU'ON VEUT"...
CE SERAIT BIEN S'IL Y AVAIT UNE AUTRE INVENTION RATÉE ICI.
FIUT FIUT
TANTO, TU VOLES MAINTENANT ?
J'AI MANGÉ TROP D'AILES DE POULET CE MATIN...
UNE AUTRE INVENTION ?
"DES CHAUSSURES GPS QUI VOUS EMMÈNENT À L'ÉCOLE MÊME SI VOUS DORMEZ"...
IL LES METTRAIT, MAIS ELLES NE S'ARRÊTERAIENT JAMAIS, MÊME POUR TRAVERSER LA ROUTE...
OUI ! VOILÀ !
IL FAUT TROUVER PLEIN D'INVENTIONS NULLES DE CE GENRE !
ET CE SERAIT BIEN QU'IL AIT UNE PHRASE FÉTICHE, UN LEITMOTIV.
QUELQUE CHOSE QUI METTE EN AVANT LE FAIT QUE MEIJIN FAIT DES DÉCOUVERTES SOUVENT PAR HASARD... "ET VOILÀ ! COUP DE GÉNIE ! COUP DE CHANCE !"
OU ALORS UNE RÉPLIQUE RÉCURRENTE DU GENRE : "RECOMMENCE, GRAND-PÈRE !", "IMPOSSIBLE, C'EST UN COUP DE BOL !"
CE SERA BIZARRE SI TOUTES LES INVENTIONS SONT LE FRUIT DU HASARD, MAIS...
AU CONTRAIRE ! C'EST ÇA QUI EST MARRANT !
...
...
ET LÀ : "BLAM !!"
HA ! HA ! OUI, METTONS ÇA !
LA RÉUNION SE PASSE BIEN...
FINALEMENT, JE ME SUIS PEUT-ÊTRE TROMPÉ EN PENSANT QUE LE GENRE COMIQUE N'ÉTAIT PAS FAIT POUR SHUJIN...

ALORS, QUE DITES-VOUS DES NEMUS D'AOKI ?
ON N'A PLUS LE TEMPS, ALORS, JE PENSE QU'ON PEUT Y ALLER COMME ÇA, MAIS...
LÀ, C'EST UN MANGA POUR UNE TRANCHE D'ÂGE ÉLEVÉE... EN TOUT CAS, ELLE ACCEPTE DE DESSINER DES CULOTTES... BRAVO, YAMAHISA.
EN RÉALITÉ, C'EST BIEN LA SEULE PARTIE OÙ ELLE SEMBLE ENCORE UN PEU RÉTICENTE...
!
DANS CE CAS, IL VAUDRAIT PEUT-ÊTRE MIEUX QU'ELLE TRAVAILLE SUR LES PERSONNAGES, ET QUE LES ARRIÈRE-PLANS,
LES SOUS-VÊTEMENTS SOIENT DESSINÉS PAR NAKAI, NON ?
J'Y AI PENSÉ AUSSI, MAIS ÇA NOUS FERAIT REVENIR À LA CASE DÉPART AVEC AOKI AU SCÉNARIO ET NAKAI AU DESSIN.
NON, JE TIENS À CE QUE CE SOIT LE MANGA RÉALISÉ PAR UNE JOLIE DESSINATRICE.
FLAP
OUI, SAUF QUE PERSONNE NE VERRA JAMAIS SON VISAGE.

ET POUR L'INSTANT, À EN JUGER PAR SES NEMUS, ON NE VOIT PAS VRAIMENT DE POSES, D'ANGLES MONTRANT DES SOUS-VÊTEMENTS COMME LES GARÇONS SOUHAITENT EN VOIR.
N'EST-CE PAS ? AOKI VEUT DESSINER SEULE, MAIS...
... J'AI L'INTENTION DE TROUVER UN ASSISTANT DOUÉ POUR DESSINER LES FESSES OU LES SOUS-VÊTEMENTS.
SI C'EST ÇA QUI T'INTÉRESSE, VA FAIRE TES RECHERCHES SUR LE NET PARMI CEUX QUI METTENT LEURS DESSINS EN LIGNE, ÇA IRA PLUS VITE.
BIEN VU, MONSIEUR YOSHIDA. MERCI DU CONSEIL !

♪ ♪
C'EST TAKAGI ?
MONSIEUR YAMAHISA... BONJOUR...
...
VOS NEMUS SONT PARFAITS, MAIS J'AIMERAIS DISCUTER D'UN POINT PARTICULIER...
OUI ?
AOKI
301

J'AI DÉNICHÉ UN ASSISTANT TRÈS DOUÉ POUR DESSINER LES SOUS-VÊTEMENTS, LES FESSES, ETC.
IL SEMBLE QUE VOUS AYEZ ENCORE DES RÉTICENCES À DESSINER CES PARTIES-LÀ. ALORS, J'AI PENSÉ QU'ON POURRAIT LES LUI CONFIER...
C'EST UN ASSISTANT OU UNE ASSIS-TANTE ?
C'EST UN HOMME...
DANS CE CAS, JE REFUSE.
JE NE PEUX PAS FAIRE CONFIANCE À UN HOMME, SURTOUT À UN HOMME DOUÉ POUR CE GENRE DE DESSIN...

!
CLIC !
HEIN ?
RATÉ. ELLE DIT QU'ELLE NE PEUT PAS FAIRE CONFIANCE À UN HOMME... ELLE EST DEVENUE TRÈS MÉFIANTE À L'ÉGARD DES HOMMES SOUDAINEMENT...
YAMAHISA... CE NE SERAIT PAS UN PEU DE TA FAUTE, ÇA ?
HA ! HA !
MAIS PAS DU TOUT ! NE DITES PAS CE GENRE DE CHOSES, ÇA VA ENCORE COMPLIQUER MES RAPPORTS AVEC ELLE !

J'AI PRESQUE TERMINÉ LES NEMUS DU DEUXIÈME CHAPITRE, MAIS...
... JE BLOQUE SUR CE PERSONNAGE DE LA PROFESSEURE NOA...
JE VAIS APPELER AOKI...

BONSOIR, TAKAGI...
DÉSOLÉ DE T'APPELER SI TARD. C'EST À PROPOS DE LA PROFESSEURE... COMME MODÈLE POUR CE PERSONNAGE, J'AI PENSÉ À TOI AU CAS OÙ TU DEVIENDRAIS PLUS TARD ENSEIGNANTE, ALORS...
TU SAIS BIEN QU'ON S'EST MIS D'ACCORD POUR PARTAGER NOS AVIS... POSE-MOI TOUTES LES QUESTIONS QUE TU VEUX.
BON... ... ALORS... MERCI.

... IMAGINE QUE TU ES DEVENUE PROFESSEURE DANS UNE ÉCOLE PRIMAIRE... COMMENT RÉAGIRAIS-TU SI UN ÉLÈVE DE 10 ANS SOULEVAIT TA JUPE ?
MA JUPE...?
JE SERAIS TRÈS FÂCHÉE, ÉVIDEMMENT. IL SERAIT MIS AU PIQUET DANS LE COULOIR UNE JOURNÉE, ET JE PRÉVIENDRAIS PEUT-ÊTRE MÊME SES PARENTS.
TU... TU IRAIS JUSQUE-LÀ...?

"JUSQUE-LÀ..." ? C'EST QUAND MÊME UNE ATTITUDE RÉPRÉHENSIBLE ! IMAGINE QU'ADULTE IL DEVIENNE UN PERVERS ?
AH... OUI, BIEN SÛR...
BON... MERCI BEAUCOUP, TU M'AS BIEN ÉCLAIRÉ.
HEIN ? C'EST TOUT ?
OUI. MERCI, ET AU REVOIR.
BIP !
J'AURAIS BIEN PARLÉ UN PEU PLUS LONGTEMPS...
MAIS... TOUT À L'HEURE, J'AI DIT QUE JE NE POUVAIS PAS FAIRE CONFIANCE AUX HOMMES...
... ALORS, POURQUOI SUIS-JE COMME ÇA AVEC TAKAGI ? C'EST UN HOMME COMME LES AUTRES... NON, À LUI, JE PEUX FAIRE CONFIANCE.
EST-CE QUE JE SERAIS AMOU... NON...
C'EST JUSTE UNE COLLABORATION ENTRE MANGAKAS.
IL A QUATRE ANS DE MOINS QUE MOI...
ET SURTOUT, IL A DÉJÀ UNE PETITE AMIE.
À PROPOS, CETTE FILLE, AIKO IWASE, ELLE AUSSI, ELLE S'INTÉRESSE À LUI...
TAKAGI PLAÎT BEAUCOUP AUX FILLES...

YAMAHISA ! ON FAIT PASSER SHIZUKA DANS L'AKAMARU !!
PAF
C'EST VRAI ? MERCI BEAUCOUP !
ÇA Y EST ? LE SOMMAIRE OFFICIEL EST ENFIN PRÊT ? ÇA A PRIS DU TEMPS CETTE FOIS.
ÇA NE FAIT AUCUN DOUTE QUE KÔ AOKI ET RYÛ SHIZUKA VONT DÉCROCHER LES DEUX PREMIÈRES PLACES.
ET MOI, JE SUIS SÛR À 99,9 % QUE, DANS CE NUMÉRO, CE SERA MUTO ASHIROGI LE N° 1 !
TAP TAP TAP TAP TAP TAP TAP TAP
MIURA, TU AS FAIT TRAVAILLER ASHIROGI SUR UN GAG MANGA, HEIN ?
OUI !
MOI, JE PENSE QUE C'EST UN GENRE QUI NE LEUR CONVIENT PAS.
AVANT DE DÉCIDER ÇA, IL FAUT ESSAYER !
C'EST INUTILE, ÇA SAUTE AUX YEUX. ILS ONT PASSÉ UN TEMPS FOU SUR "TEN" QUI N'A FINI QUE 10e.
MOI, JE LEUR AURAIS FAIT FAIRE UNE HISTOIRE DANS LE GENRE DE "NOTRE MONDE..."
...

NÉANMOINS, CE N'EST PAS AVEC CE TYPE DE MANGAS LÀ QU'ASHIROGI POURRA SURVIVRE DANS LE JUMP.
TAP TAP TAP

FORCÉMENT, PUISQUE LES LECTEURS LEUR PRÉFÉRERONT LE MANGA DE SHIZUKA.

JE NE LUI AI FAIT RECOMMENCER QUE DEUX FOIS, ET ÇA A SUFFI POUR QU'IL RÉUSSISSE UN SUPER-MANGA !
N° 1 AVEC DES GAGS ? TU RÊVES.
GRR
GRR
HÉ ! HO !!

JE SUIS DÉSOLÉ, MAIS NOTRE DUEL DOIT SE FAIRE DANS LE MAGAZINE, PAS AILLEURS. LEQUEL DE NOS MANGAS SERA LE PLUS POPULAIRE ?
AU FAIT, AU SOKUHÔ, "BB KENICHI" N'ÉTAIT PAS TRÈS BIEN CLASSÉ CETTE SEMAINE...
MÊLE-TOI DE TES AFFAIRES ! ET N'OUBLIE PAS QUE JE SUIS TON AÎNÉ DANS LA BOITE !
HÉ ! VOUS DEUX ! ÇA SUFFIT MAINTENANT !
PAF
MERDE... JE NE VEUX PAS PERDRE, SURTOUT PAS CONTRE LUI...
HÉ ! HÉ !

2012
7
火
水
3
4
10
11
17
18
AU FAIT, MÊME SI ON EST EN PLEINES VACANCES D'ÉTÉ, ON NE VOIT PAS BEAUCOUP MIYOSHI CES TEMPS-CI... ELLE EST MALADE ?
J'EN SAIS RIEN...
TU N'EN SAIS RIEN ? TU NE L'AS PAS APPELÉE ? D'HABITUDE, VOUS ÊTES INSÉPARABLES...

ELLE SAIT QU'ON EST OCCUPÉS, ELLE NE VEUT PAS NOUS DÉRANGER... CELA DIT, C'EST VRAI QU'ON NE S'EST PAS VUS...
ELLE EST PEUT-ÊTRE MALADE, OUI...
MAIS, SI C'ÉTAIT LE CAS, ELLE ME LE DIRAIT...
MAINTENANT QUE TU LE DIS, C'EST BIZARRE... JE VAIS L'APPELER.

♫♪
TAKAGI...

SALUT ! TU NE VIENS PLUS À L'ATELIER CES TEMPS-CI... QUE SE PASSE-T-IL ?
CE... CE QUI SE PASSE...?
?

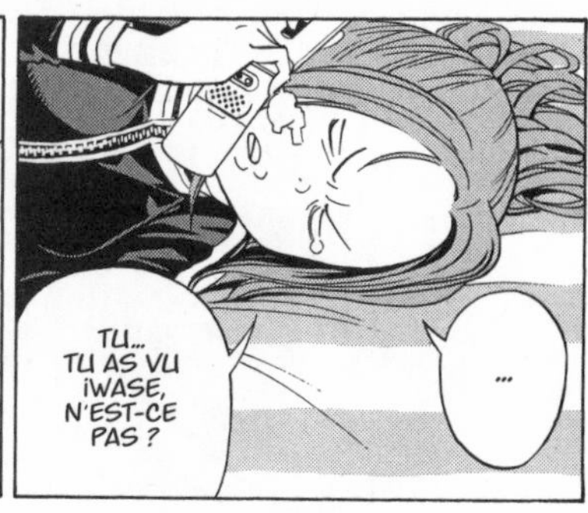
...
TU... TU AS VU iWASE, N'EST-CE PAS ?

!

EUH... OUI, MAIS...
J'EN ÉTAIS SÛRE...
!?

JE L'AI VUE, OUI, MAIS...
"MAIS" QUOI ?! RIEN À FAIRE DE TES EXCUSES BIDON !
CLANG

CLIC !
AH...
QU'EST-CE QU'IL Y A ?

MIYOSHI SAIT QUE J'AI VU iWASE...

EXPLIQUE-LUI BIEN QU'ELLE SE MÉPREND. PARCE QUE, EN QUELQUE SORTE, C'EST IWASE QUI T'A PIÉGÉ.
OUI, MAIS COMMENT A-T-ELLE FAIT POUR LE SAVOIR ?
AH !
LE ROMAN D'IWASE ! TU L'AVAIS LAISSÉ ICI !
AH... J'AVAIS COMPLÈTEMENT OUBLIÉ CE TRUC.
MIDORIIRO NO SOTSUGYÔ
La saison bleu ciel
Paysage arrondi
L'or de la classe
Coloration de fin d'études
PRIX SUBARU
PREMIER ROMAN
ATTENDS... IL EST ÉCRIT SOUS UN PSEUDONYME.
COMMENT A-T-ELLE PU DEVINER ? C'EST BIZARRE.
MÊME SI ELLE AVAIT DÉCOUVERT QUE C'ÉTAIT IWASE QUI L'AVAIT ÉCRIT, RIEN NE LAISSAIT SUPPOSER QUE JE L'AVAIS RENCONTRÉE...
AU FAIT, LE DOUBLE DE LA CLÉ ÉTAIT DANS LA BOITE AUX LETTRES... ÇA VOULAIT PEUT-ÊTRE DIRE QU'ELLE NE VIENDRAIT PLUS ICI...
...
LÀ, ÇA CRAINT... IL FAUT METTRE TOUT ÇA AU CLAIR RAPIDEMENT.
C'EST BON, J'AI ADMIS AVOIR VU IWASE, ALORS...
NON !! CE N'EST PAS BON !!
ELLE M'A RACCROCHÉ AU NEZ EN ME DISANT QU'ELLE NE VOULAIT PAS ENTENDRE MES "EXCUSES BIDON"... BONJOUR, LA CONFIANCE !
EN TOUT CAS, IL FAUT TOUT LUI EXPLIQUER...
ET JE LUI PARLE AUSSI D'AOKI ALORS ? ÇA VA ENVENIMER LA SITUATION...

EN PLUS, M. MIURA VA ARRIVER POUR UNE RÉUNION.
...
POUR LE MOMENT, JE DOIS ME CONCENTRER SUR LE MANGA !

DING DONG
C'EST MIURA !

はは… HA HA
IL TIENT SON CAHIER AVEC UNE MAIN QUI TREMBLE !
NORMAL, IL A L'APPARENCE D'UN ÉCOLIER, MAIS C'EST UN GRAND-PÈRE ! ET QUAND SON CAMARADE LE LUI FAIT REMARQUER, IL RÉPOND : "C'EST L'ÂGE..."
CE N'EST PAS UN PEU TROP ?
NON ! JUSTEMENT ! LES GOSSES ADORENT ÇA !
...
HA HA HA HA HA HA HA HA HA HA HA HA
CRAT ! CRAT !

MASHIRO, QUAND PENSES-TU TERMINER LES PLANCHES DU PREMIER CHAPITRE ?
HUM... DANS QUATRE JOURS... NON, PLUTÔT CINQ OU SIX JOURS PARCE QUE JE SUIS TOUT SEUL...
SLAT !

BON ! ÇA DEVRAIT ALLER. ON SE DONNE CINQ JOURS POUR AMÉLIORER ENCORE LE CHAPITRE DEUX.
OUI !
QUE PENSES-TU DE LE FAIRE TOUSSER COMME UN VIEUX ?
EUH... BOF...

BON ! ÇA IRA POUR AUJOURD'HUI.
AU REVOIR !
AH ! JE VOUS LAISSE ÇA AUSSI : C'EST LA LISTE DES AUTEURS PUBLIÉS DANS CE NUMÉRO DE L'AKAMARU.
TAC

!
PARMI EUX, JE CROIS QUE C'EST AOKI NOTRE PRINCIPALE RIVALE, HEIN ?
IL EST CLAIR QUE SON MANGA SERA MEILLEUR ENCORE QUE "HIDEOUT DOOR".
MOI, JE PENCHERAIS PLUTÔT POUR RYÛ SHIZUKA, LE DESSINATEUR
?
AUQUEL EIJI A VOULU DONNER LE PRIX TREASURE.

TAKAGI ! MASHIRO !
ON VA ÊTRE PREMIERS ! IL LE FAUT ! JE COMPTE SUR VOUS !
ET ENSUITE, ON FERA LA SÉRIE !

BON, À DEMAIN ! RENDEZ-VOUS ICI, ÇA VA ?
OUI. C'EST TOUJOURS MIEUX QUE J'ENTENDE VOS DISCUSSIONS.
VLAM
"IL LE FAUT ! JE COMPTE SUR VOUS !" C'ÉTAIT LE CRI DU COEUR.
C'EST LA PREUVE QU'IL PREND ÇA TRÈS AU SÉRIEUX.
NOUS AVONS DONC TERMINÉ LES NEMUS DU CHAPITRE DEUX COMME PRÉVU...
ON A OPTÉ POUR UN PERSONNAGE QUI A UNE COUPE DE CHEVEUX EN COEUR DISCRET ET QUI PORTE TOUJOURS UN FOULARD, MÊME EN ÉTÉ.
SHÛJIN M'A AIDÉ POUR LES FINITIONS, ET ON A TOUT TERMINÉ À TEMPS.
L'ABSENCE DE MIYOSHI SE FAIT SENTIR...
CE N'EST PAS LE MOMENT DE DIRE ÇA...
DOM DOM DOM DOM DOM DOM DOM
LE 8 AOÛT, ALORS QUE SHÛJIN N'AVAIT TOUJOURS PAS REVU MIYOSHI,
NOUS AVONS REÇU UN EXEMPLAIRE-TEST DE L'AKAMARU DANS LEQUEL SE TROUVAIT NOTRE MANGA "COURS, TANTO DAIHATSU".
ÇA ME RAPPELLE LA FOIS OÙ "NOTRE MONDE..." A ÉTÉ PUBLIÉ DANS L'AKAMARU.
OUI. C'ÉTAIT ENCORE UNE AUTRE FORME D'EXCITATION...
FLAP
FLAP
ET NOUS AVONS TOURNÉ LES PAGES DU MAGAZINE.

LES NEMUS D'OHBA

LES NEMUS D'OBATA

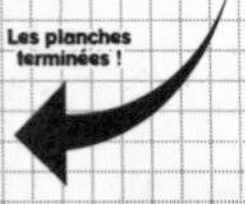
Les planches terminées !

BAKUMAN - VOL. 8
Du découpage à la planche finie
Épisode 63 - pages 28-29

Page 64
Naturel et cachotterie

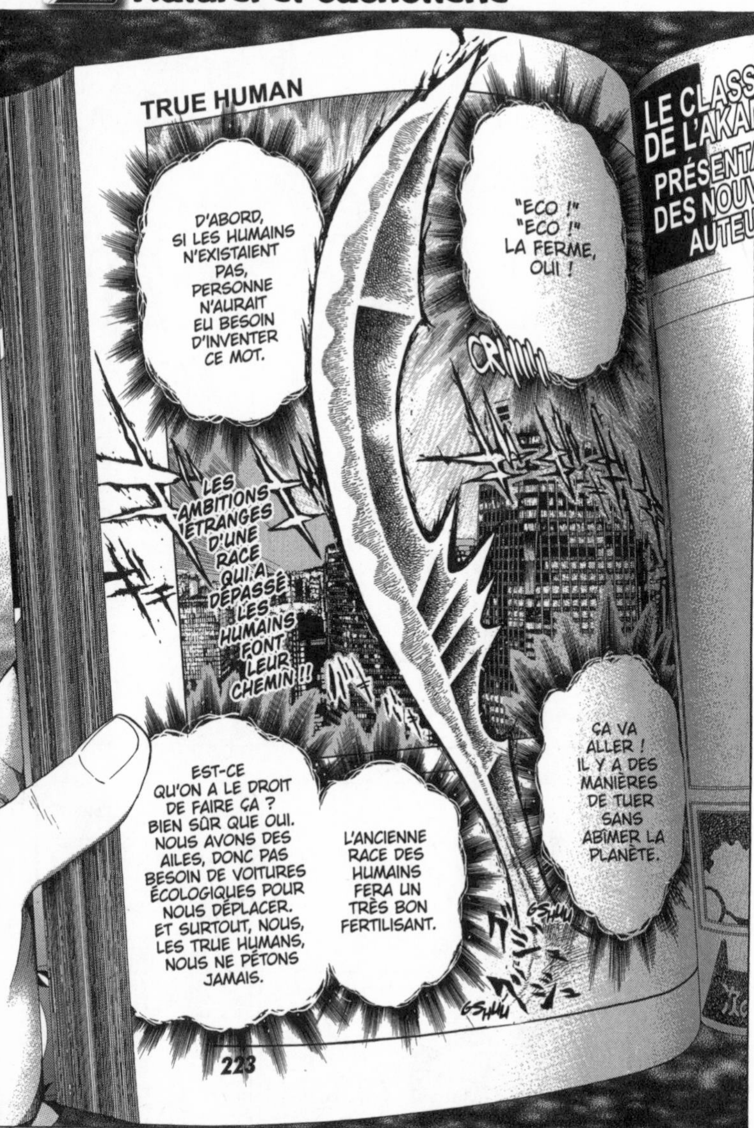

C'EST LUGUBRE...
...

RYÛ SHIZUKA... SON MANGA EST ENCORE PLUS LUGUBRE QUE "NOTRE MONDE...".

JE COMPRENDS POURQUOI ÇA A SÉDUIT EIJI.

RYÛ SHIZUKA ? TU EN ES DÉJÀ LÀ ? TU NE LIS PAS LES MANGAS DANS L'ORDRE ?
JE NE VAIS PAS LIRE LE NÔTRE... JE SAIS UN PEU CE QU'IL CONTIENT...
AH...
Flap

ÇA ME RAPPELLE LE PREMIER MANGA QU'ON ÉTAIT ALLÉS MONTRER CHEZ SHÛEISHA, "DEUX TERRES"...
CE N'EST PAS TRÈS JUMP, MAIS ÇA VA PLAIRE AUX LECTEURS PLUS ÂGÉS...
...

PERSONNELLEMENT, L'IDÉE QUE LE MONDE SERAIT MIEUX SANS LES HUMAINS ME SEMBLE ASSEZ PUÉRILE...

SHÛJIN, TU M'ÉCOUTES ?
...

POURQUOI TU NE MONTRES AUCUNE RÉACTION ?
JETTE UN COUP D'OEIL SUR "AU TEMPS DES FEUILLES VERTES" D'AOKI.

SHÔICHIRÔ MAME, 15 ANS. AUJOUR-D'HUI, C'EST MON PREMIER JOUR AU LYCÉE PRIVÉ AOBA-GAKUEN.
C'EST POUR UNE RAISON PRÉCISE QUE J'AI CHOISI CE LYCÉE…
C'EST LE DÉBUT D'UNE VIE EXCITANTE SUR LE CAMPUS DE L'ÉCOLE !!
C'EST ICI QUE LES JUPES DES UNIFORMES DES FILLES SONT LES PLUS COURTES.
LE DÉBUT DU PRIN-TEMPS ?
ZAAAT
LE RÈGLEMENT DE L'ÉCOLE INTERDIT LE PORT DE CULOTTE BOXER SOUS LA JUPE, ET LE PORT DE MINISHORT SUR LA CULOTTE QUI DOIT ÊTRE BLANCHE.
FUUUU
AUTREMENT DIT, SOUS LEUR JUPE, LES FILLES NE PEUVENT PORTER QU'UNE CULOTTE BLANCHE.
AH !
SUR CE CAMPUS, MAIS PARTOUT AILLEURS AUSSI, SUR LA ROUTE DE L'ÉCOLE, SUR LE LIEU DE MON JOB, TOUTES LES FILLES QUI SONT DANS MON PÉRIMÈTRE, JE TROUVE UNE OCCASION DE LEUR PARLER ET J'ESSAYE DE SORTIR AVEC ELLES ! C'EST NORMAL : POUR SE FAIRE UNE IDÉE CONCRÈTE SUR UNE PERSONNE, IL FAUT COMMENCER PAR SORTIR AVEC ELLE.

ON CIBLE BIEN PLUS LES ADOS QUE NE LE FAISAIT "HIDEOUT".
OUI, NE T'ARRÊTE PAS LÀ, LIS LA SUITE...
...
ATTENDS... ÇA, ÇA CRAINT.
OH ! POUR QUELQUES CULOTTES, ÇA VA.
JE NE PARLE PAS DES CULOTTES, MAIS DU RESTE...
FLAP
FLAP
ALORS, ÇA NE T'A PAS ÉCHAPPÉ À TOI NON PLUS ?
ÉVIDEMMENT ! DEUX PERSONNAGES QUI NE SORTIRONT PAS ENSEMBLE AVANT DE RÉALISER LEURS RÊVES...
UNE FILLE QUI PREND UNE SIMPLE DISCUSSION POUR UNE DÉCLARATION D'AMOUR...

C'EST EXACTEMENT NOTRE HISTOIRE À TOUS LES QUATRE !!
ON NE SE REVERRA PAS AVANT D'AVOIR RÉALISÉ NOS RÊVES.
OUI...
D'ICI LÀ, ON POURRA S'ENCOURAGER PAR MAILS...

JE NE ME DOUTAIS PAS QU'ELLE REPRENDRAIT À LA LETTRE DANS SON MANGA TOUT CE QUE JE LUI AI RACONTÉ...
PFF
OUI, ET TU AS TROP PARLÉ ! TU LUI AS AUSSI PARLÉ D'AZUKI ET DE MOI !!

EN LISANT ÇA, MIYOSHI VA COMPRENDRE QUE J'AI UN LIEN AVEC AOKI...
PAS SÛR... C'EST UNE HISTOIRE CLASSIQUE FINALEMENT, ÇA PEUT PASSER... ET PUIS ELLE A ELLE-MÊME ÉCRIT UN ROMAN POUR PORTABLE AVEC ÇA, ALORS...
TU L'AS RAPPELÉE DEPUIS ?
CE N'EST QUAND MÊME PAS À MOI DE L'APPELER. J'ATTENDS DE SES NOUVELLES.
...
SI NOS RÊVES SE RÉALISENT, MARIONS-NOUS...

NON, C'EST CLAIR, ÇA CRAINT UN MAX ! LE MAGAZINE SERA EN LIBRAIRIE DANS DEUX SEMAINES ! IL FAUT DISSIPER LE MALENTENDU D'ICI LÀ !!
OUI ? ET COMMENT ? "J'AVAIS RENDEZ-VOUS AVEC AOKI POUR DISCUTER, ET LÀ, PAF ! IL Y AVAIT AUSSI IWASE !"
C'EST POURTANT CE QUI S'EST PASSÉ VRAIMENT, NON ?
OOOOOH

IMPOSSIBLE ! DÉJÀ QU'ELLE ÉTAIT FURAX AVEC IWASE... SI JE RAJOUTE AOKI PAR-DESSUS...

MIYOSHI EST AU COURANT QU'AOKI EST UNE JOLIE FILLE DE 22 OU 23 ANS...?
LE FAMEUX JOUR OÙ IL A NEIGÉ, ELLE L'A VUE... EN PLUS, APRÈS AVOIR RENCONTRÉ AOKI LA PREMIÈRE FOIS CHEZ EIJI, J'AVAIS DIT À MIYOSHI QUE JE RESSENTAIS QUELQUE CHOSE POUR CETTE FILLE JOLIE ET INTELLIGENTE, SCÉNARISTE COMME MOI.
MAIS QUEL IMBÉCILE !!
JE VOULAIS DIRE EN TANT QUE RIVALE, PAS EN TANT QUE FILLE. EN PLUS, JE N'AI RIEN FAIT DE MAL, ON EST D'ACCORD ? J'AI AGI DANS L'INTÉRÊT DU MANGA.
NOTRE VISION ET CELLE DE MIYOSHI SONT FORCÉMENT DIFFÉRENTES, ENFIN !
TAP TAP TAP TAP TAP TAP TAP

DOM DOM
DOM DOM DOM
...

ENFIN, PLUS IMPORTANT, EN LISANT CE MANGA...
"PLUS IMPORTANT" ? TU ES SÛR DE TOI, LÀ ?
... J'AI L'IMPRESSION QU'AOKI AIME M. NAKAI.
HEIN ?
LE PROF DE GYM, LA TRENTAINE, UN PEU GROS, CONSEILLER DE L'ÉQUIPE DE GYM... UNE DES FILLES DE L'ÉQUIPE, APRÈS AVOIR PLUSIEURS FOIS ENTENDU SA DÉCLARATION D'AMOUR, FINIT PAR L'AIMER.
C'EST LA SCÈNE DE L'ENTRAÎNEMENT SPÉCIAL EN SALLE LE JOUR OÙ IL NEIGE.
AH ! MAIS TU AS RAISON...
C'EST LA VÉRITÉ !

ELLE M'AVAIT DIT QU'ELLE AVAIT VÉCU QUELQUE CHOSE DE SIMILAIRE... C'EST CLAIR QU'ELLE PARLE DE SON EXPÉRIENCE.
ELLE RACONTE AUSSI NOS HISTOIRES TELLES QU'ELLES SONT...
C'EST UN MANGA DE RÉVÉLATIONS OU QUOI...?!
ELLE NOUS A PRIS COMME SUJETS SANS SE GÊNER... IMAGINE QUE SON MANGA AIT PLUS DE SUCCÈS QUE LE NÔTRE, ON AURA L'AIR FINS...
ELLE M'A AUSSI DONNÉ PLEIN D'IDÉES, MAIS IL Y A UN CERTAIN DÉSÉQUILIBRE...

C'EST LE MOINS QU'ON PUISSE DIRE ! À CAUSE DE VOS DISCUSSIONS, ON ACCUMULE LES PROBLÈMES !
PLAF
PEUT-ÊTRE, MAIS QUAND ELLE A SUGGÉRÉ D'ARRÊTER NOS ÉCHANGES, C'EST MOI QUI AI REFUSÉ EN DISANT QU'ÊTRE RIVAUX DANS L'AKAMARU NE JUSTIFIAIT PAS QU'ON ARRÊTE DE SE PARLER. JE NE VAIS PAS MAINTENANT ALLER PRÉTENDRE LE CONTRAIRE !
PFF... EN TOUT CAS, FAIS QUELQUE CHOSE POUR LE CAS MIYOSHI...
FACILE À DIRE... JE FAIS QUOI ?
J'EN SAIS RIEN, MOI...
ET MOI, ALORS ...
...
À CE MOMENT-LÀ, JE N'AVAIS PAS ENCORE CONSCIENCE DES PROBLÈMES QUE CELA ALLAIT POSER AVEC AZUKI.

FUKUDA
POURQUOI ASHIROGI FAIT-IL UN GAG MANGA !?
TOI, LES GAGS BASIQUES, ÇA TE PLAIT, HEIN ?
N'EMPÊCHE, C'EST VACHEMENT BIEN.
HÉ ! HÉ !
OUAIS. C'EST POUR ÇA QUE JE SUIS ASSISTANT SUR "KIYOSHI" !

CE MANGA PEUT ÊTRE PREMIER D'APRÈS TOI ?
L'AKAMARU A UN LECTORAT UN PEU PLUS VIEUX QUE CELUI DU JUMP ORDINAIRE, HEIN ?
DU COUP, CE N'EST PAS ÉVIDENT... L'AUTRE MANGA QUI A DE L'IMPACT, C'EST "TRUE HUMAN"... OUI, IL PEUT Y ARRIVER.

ET KÔ AOKI ?
PERSONNELLEMENT, JE SUIS IMPERMÉABLE AUX MANGAS D'HISTOIRE D'AMOUR. ALORS, JE N'AI RIEN COMPRIS.
FLAT

QUE VA PENSER NAKAI EN LISANT ÇA...?

BIP !
BIP !
QUI VOUS APPELEZ ?
T'OCCUPE ET COLLE LES TRAMES.

NON, CHEZ UNE PERSONNE, L'INTÉRIEUR COMPTE PLUS QUE L'APPARENCE... ENFIN, TOI, KATÔ, TU ES JOLIE, ALORS ÇA VA, MAIS...
BLA BLA
BLA BLA
OH... VOUS ME FAITES MARCHER, MONSIEUR NAKAI...
...
♪ ♪
BIP !
FUKUDA ? ÇA FAIT UN BAIL.
NAKAI, TU AS LU L'AKA-MARU ?
OUI, TOUT À L'HEURE.
J'AI ÉTÉ SURPRIS DE VOIR QU'AOKI AVAIT DESSINÉ DES CULOTTES... RIEN QU'À PENSER QUE C'EST ELLE QUI DESSINE ÇA, C'EST ASSEZ EXCITANT. HA ! HA !
...
C'EST TOUT CE QUE TU EN PEN-SES ?
BEN... ENSUITE, POUR ASHIROGI, JE SENS QUE ÇA VA ALLER DANS LE SENS D'UN "DORAEMON"...
NON, PAS ÇA ! JE VEUX SAVOIR CE QUE TU AS PENSÉ EN LISANT L'HISTOIRE D'AOKI...

HUM... FRANCHE-MENT, RIEN DE PARTICULIER... ÉCOUTE, LÀ, JE SUIS EN PLEIN TRAVAIL...
NAKAI... TU VAS CONTINUER LONGTEMPS À ÊTRE ASSISTANT ? J'AI ENTENDU DIRE QUE TU ÉTAIS VENU POUR DÉPANNER EN ATTENDANT, MAIS QUE, FINALEMENT, MÊME AVEC L'ARRIVÉE DE NOUVEAUX ASSISTANTS, TU N'AURAIS PAS SOUHAITÉ PARTIR...
APPAREM-MENT, ON A DU MAL À ME TROUVER UN BON SCÉNARIO...
QU'EST-CE QUE TU RACONTES ? TU CHERCHES UN PEU TOI-MÊME AU MOINS ? TU FAIS DES NEMUS ? À MOINS QUE TU PRÉFÈRES ÊTRE ASSISTANT TOUTE TA VIE ?!
HÉ ! DE QUEL DROIT TU ME PARLES COMME ÇA, FUKUDA ? JE FAIS LES CHOSES À MA MANIÈRE. ET PUIS ÊTRE ASSISTANT, ÇA ME PLAÎT AUSSI !

ÇA LUI PLAÎT...?
OUAIS ? ALORS, IL EST CLAIR QU'AOKI EST TROP BIEN POUR TOI !!
...!

JE LE SAIS... ON NE VA PAS ENSEMBLE...
C'EST POUR ÇA QUE JE ME TOURNE VERS UN NOUVEL AMOUR...
TIC

...
ET ÇA, ÇA VOULAIT DIRE QUOI, ALORS ...?

OUAIS, JE VOIS... DÉSOLÉ DE T'AVOIR DÉRANGÉ.
CLIC!
...!

VLAM
PAS UN POUR RATTRAPER L'AUTRE !
ÉCOUTEZ, SENSEI, JE NE PIGE PAS TOUT, MAIS AVANT DE PENSER AUX AUTRES, SI ON SE CONCENTRAIT SUR "KIYOSHI" ?
PARCE QUE, SI ON CONTINUE COMME ÇA, IL NE SURVIVRA PAS À LA PROCHAINE RÉUNION ÉDITO.

C'EST TOI QUI M'AS DIT QUE CE SERAIT BIEN DE LE FAIRE MONTER SUR LE RING POUR DES COMBATS DÉJANTÉS, NON ?!
OUAIS ! ET VOUS, ÇA VOUS A PLU !
CLANG

NIIZUMA
SARL EIJ
BON ! MERCI POUR LES PLANCHES.
SAT
WAAAH
AU REVOIR...
AH !

AU FAIT, QU'AS-TU PENSÉ DE L'AKAMARU ? À LA RÉDACTION, TOUT LE MONDE DIT QUE LA PREMIÈRE PLACE VA SE JOUER ENTRE AOKI, ASHIROGI ET SHIZUKA, MAIS...
WEEKLY SHÔNEN JUMP
ASHIROGI-SENSEI EST GÉNIAL. IL A RÉALISÉ UN PARFAIT EXEMPLE DE GAG MANGA. L'HISTOIRE ET LES DESSINS COLLENT PARFAITEMENT. TAKAGI-SENSEI ET MASHIRO-SENSEI SONT TRÈS HABILES.
ALORS TOI, TU PENSES QUE C'EST EUX QUI SERONT N° 1...
EN FAIT, JE PENSE QU'ASHIROGI-SENSEI EST PLUS DOUÉ POUR LES MANGAS À HISTOIRE... ET PERSONNELLEMENT, J'AI PRÉFÉRÉ "TRUE HUMAN".

PLUS DOUÉ POUR LES MANGAS À HISTOIRE...?
IL FAUDRAIT QU'ASHIROGI-SENSEI ARRIVE À AVOIR MOINS DE TALENT...
"MOINS DE TALENT"... J'AI DÉJÀ ENTENDU ÇA AU BUREAU... "DU BOUT DES DOIGTS"...
HATTORI...

AU FAIT, HIRAMARU, TU AS LU L'AKAMARU ? TU SAIS QUE C'EST DE LÀ QUE VONT SORTIR TES PROCHAINS RIVAUX EN SÉRIE...
RIEN À FAIRE DE L'AKAMARU. J'AI DÉJÀ DU MAL À NE PENSER RIEN QU'À MOI, ALORS... VOUS NE VOULEZ PAS M'ACCORDER SÉRIEUSEMENT DES VACANCES ? CETTE FOIS, JE VOUS ASSURE QUE JE SUIS À BOUT.
HAA HAA
KOF KOF
JE M'EN DOUTAIS ET C'EST POUR ÇA QUE J'AI APPORTÉ ÇA : LE PROFIL D'UNE JOLIE DEMOISELLE DE 22 ANS.
MONSIEUR YOSHIDA !!
FLAP
JE SUIS VRAIMENT HEUREUX DE VOUS AVOIR FAIT CONFIANCE ! JE SUIS SINCÈRE !
BAM
TAC
?
ON VERRA ÇA APRÈS.
MAIS... MAIS POURQUOI ?!
FINIS D'ABORD DE DESSINER TES PLANCHES, ET ON EN REPARLE APRÈS.
OUI, C'EST SÛR.
CRAT CRAT CRAT
QUANT AU FAIT DE LA RENCONTRER, NOUS VERRONS ÇA... HUM... LORSQUE TU AURAS TERMINÉ ENCORE TROIS CHAPITRES.
QUE... QUOI ?! C'EST INJUSTE !!
NE DIS PAS ÇA ET ÉCOUTE-MOI, HIRAMARU !

JE SUIS SÛR QUE CETTE FILLE TE PLAIRA ENCORE PLUS QUE KÔ AOKI !
C'EST VRAI ? ELLE EST SI BELLE QUE ÇA ?
TAC
OUI. NORMALEMENT, POUR DES MANGAKAS QUI NE RENCONTRENT QUE TRÈS PEU DE PERSONNES, FAIRE LA CONNAISSANCE D'UNE FILLE PAREILLE EST INESPÉRÉ.
MAIS UN MANGAKA NE DOIT PAS TOMBER AMOUREUX. JE CONNAIS DES MANGAKAS À QUI C'EST ARRIVÉ, ET DU COUP, LEURS PLANCHES ONT ÉTÉ MAUVAISES, ET ILS ONT ÉTÉ OBLIGÉS D'ARRÊTER, INCAPABLES DE DESSINER À NOUVEAU.
ARRÊTER MA SÉRIE POUR CAUSE D'AMOUR... POUR MOI, C'EST LE RÊVE...

NE DIS PAS DE BÊTISES ! ET RÉFLÉCHIS BIEN ! LE BONHEUR DE CETTE FILLE EST LIÉ À TON TRAVAIL.
SI "RAKKO" EST ADAPTÉ EN DESSIN ANIMÉ, TU GAGNERAS UNE FORTUNE ET TU POURRAS LUI OFFRIR UNE VIE RÊVÉE.
À L'INVERSE, SI TA SÉRIE S'ARRÊTE, COMMENT PAIERAS-TU LES TRAITES DE TON CRÉDIT ? CETTE FILLE PLUS JEUNE QUE TOI FINIRA ALORS PAR TE QUITTER. C'EST ÇA, LA RÉALITÉ.
SI TU VEUX TOMBER AMOUREUX, IL NE FAUT PAS QUE CELA SE FASSE AUX DÉPENS DE TON TRAVAIL, IL NE FAUT PAS QUE TU TE NOIES DANS L'AMOUR. C'EST POUR ÇA QU'IL TE FAUT UN EMPLOI DU TEMPS ÉQUILIBRÉ ENTRE TRAVAIL ET AMOUR.
OUI, BIEN SÛR.

SERAIS-TU D'ACCORD POUR QUE JE M'EN CHARGE ?
TAC
HE ! HE !
L'ASSISTANT, LÀ ! ON NE RIT PAS !
DE... DÉSOLÉ...
...
C'EST ENTENDU. JE TERMINE ÇA, ET VOUS ME MONTREZ LA PHOTO.
ENCORE TROIS CHAPITRES, ET JE PEUX DÎNER AVEC ELLE !
VOILÀ MON PLANNING AMOUREUX !
TRÈS BIEN ! COURAGE ! JE TE PROMETS UN AVENIR RADIEUX !
CRAT
CRAT CRAT
CRAT
CRAT

集英

RAAH...
VOUS CROYEZ QUE "TANTO" PEUT ÊTRE N° 1 ?
MIURA, CE N'EST QUE L'EXEMPLAIRE-TEST. ON N'AURA PAS LES RÉSULTATS AVANT UN BON MOIS. D'ICI LÀ, PRÉPARE-TOI AU CAS OÙ LE SCORE SERAIT BON.

JE VEUX QU'IL SOIT N° 1 !
PAS QUESTION DE PERDRE CONTRE YAMAHISA...
TU N'AS PAS À TE FOCALISER SUR LA PREMIÈRE PLACE... UN GAG MANGA, ON LE JUGERA SUR SON NOMBRE DE VOIX POUR DÉCIDER D'UNE SÉRIALISATION.

NE PAS SE FOCALISER SUR LA PREMIÈRE PLACE...?

HATTORI, TU NE VEUX PAS VENIR BOIRE UN CAFÉ ?
HEIN ? TU ES MALADE ? ÇA NE TE RESSEMBLE PAS DE PROPOSER ÇA...

COMMENT TROUVES-TU LE GAG MANGA D'ASHIROGI ?
QUE VEUX-TU DIRE ?

NIIZUMA PENSE QU'UN MANGA À HISTOIRE LUI CONVIENT MIEUX, MAIS QU'IL DOIT PERDRE AUSSI DE SON TALENT...
CE N'EST L'AVIS QUE D'UN SEUL DESSINATEUR, MAIS NIIZUMA FAIT MOUCHE EN GÉNÉRAL...
C'EST BIEN TOI QUI AS DIT QU'ASHIROGI DESSINAIT DU BOUT DES DOIGTS, HEIN ?

QU'IL PERDE DE SON TALENT... LA FORMULE EST BIEN TROUVÉE...

NÉANMOINS, CE N'EST PAS À NOUS DE RÉFLÉCHIR À ÇA, TU LE SAIS...
ALLEZ, ON EST ENTRE NOUS... ÇA, ÇA VEUT DIRE QUE TU APPROUVES NIIZUMA, HEIN ?

...
J'AI VU TOUT CE QUE CES DEUX GARÇONS ONT FAIT DEPUIS LEUR PREMIÈRE VENUE ICI.

LEUR PREMIER MANGA, "DEUX TERRES", RESSEMBLE BEAUCOUP À "TRUE HUMAN"... IL Y ÉTAIT QUESTION DE NOTRE PLANÈTE QUI ÉTAIT LA COPIE D'UNE AUTRE PLANÈTE ORIGINALE, MISE EN OBSERVATION PAR DE VRAIS HUMAINS...
ENSUITE, ILS ONT FAIT "SUR 100 MILLIONS"... UNE HISTOIRE OÙ LES HOMMES ÉTAIENT CLASSÉS PAR UN ORDINATEUR... À L'ÉPOQUE, LE FAIT QUE NIIZUMA AVAIT EU UN DOUBLE PRIX LES A EMPÊCHÉS DE CONCOURIR OFFICIELLEMENT POUR LE PRIX TEZUKA.
ENSUITE, DANS L'AKAMARU, ILS ONT PUBLIÉ "NOTRE MONDE EST RÉGI PAR L'ARGENT ET LE SAVOIR".
OUI, J'EN CONCLUS QUE, TOI AUSSI, TU LES VOIS DAVANTAGE SUR UN MANGA À HISTOIRE.
TAC
À TITRE PERSONNEL, DES MANGAS À HISTOIRE, ET MARGINAUX, PAS CLASSIQUES... POUR CE QUI EST DE "TANTO", JE N'EN SAIS RIEN...
C'EST BIEN FAIT, ET J'ESPÈRE QUE ÇA PLAIRA AUX LECTEURS.

AIDA AIME LES GAG MANGAS, LUI AUSSI...
OUI... C'EST LUI QUI A MIS SUR PIED "BOBOBO" ET "REBORN!".
SI ON PASSAIT RÉDAC' CHEF ADJOINTS, OU MÊME SEULEMENT CHEFS D'ÉQUIPE, ON POURRAIT DONNER NOTRE AVIS, MAIS...
...
YÛJIRÔ... POURQUOI TE PRÉOCCUPES-TU À CE POINT D'ASHIROGI ?

J'AI LONGTEMPS PENSÉ QU'IL N'Y AVAIT QUE TRÈS PEU D'ÉCART ENTRE NIIZUMA ET ASHIROGI. J'ÉTAIS PERSUADÉ QU'UN JOUR OU L'AUTRE ASHIROGI PASSERAIT DEVANT. C'EST CE QUE JE PENSAIS ET ÇA M'INQUIÉTAIT.
POUR NIIZUMA, SON PRINCIPAL RIVAL, C'EST ASHIROGI, ET DEPUIS LA FIN DE "TRAP", JE SENS QU'IL A PERDU DE L'ENTRAIN.
JE ME SUIS DEMANDÉ POURQUOI AUJOURD'HUI IL Y A UN TEL ÉCART ENTRE EUX...
C'EST UNE QUESTION DE CHANCE, C'EST ÇA ?

C'EST UNE QUESTION DE CAPACITÉ RÉELLE.
!

QUAND ON ARRIVE À CE NIVEAU, C'EST LÀ QUE SE FAIT LA DIFFÉRENCE. MASHIRO ET TAKAGI N'ONT ENCORE QUE 18 ANS. QUELLE QUE SOIT L'ISSUE, ILS DOIVENT SE PERFECTIONNER ET VISER TOUJOURS PLUS HAUT.
OUI ? OUI, C'EST VRAI...

PFF... LES GAGS, C'EST QUAND MÊME DIFFICILE... EN VUE DE LA SÉRIE, J'AI INTÉRÊT À EN FAIRE DES PROVISIONS...
POUR ÉVITER TOUT PLAGIAT, TU AS INTÉRÊT À RELIRE DES MANGAS COMME "DORAEMON".
AH ! TÉLÉPHONE !
QUOI ?! AZUKI !
HEIN ?!
ZUT... MIYOSHI A DÛ CAFTER... ENFIN, ELLE A DÛ LUI PARLER...

MAIS JE NE VOIS PAS POURQUOI ELLE TE TÉLÉPHONE... ÇA NE LUI RESSEMBLE PAS...
AH, ÇA... C'EST UNE FILLE SUPERSÉRIEUSE QUAND MÊME.
ALLÔ ?
BONJOUR...
BONJOUR...
KAYA EST SORTIE FAIRE QUELQUES COURSES. ELLE S'EST INSTALLÉE CHEZ MOI. ELLE NE VEUT PAS RESTER À YAKUSA.
QUOI ?! ELLE A FAIT UNE FUGUE ?!
OUI, ELLE PRÉTEND QU'ELLE PROFITE DES VACANCES D'ÉTÉ POUR ME VOIR, MAIS...

MIYOSHI S'EST INSTALLÉE CHEZ AZUKI.
...
ELLE M'A DIT QUE TU AVAIS VU IWASE...
!
ET VOILÀ...

C'EST UN MALENTENDU...
JE M'EN DOUTE... ET DANS CE CAS, EXPLIQUE-LE-LUI CLAIREMENT. KAYA ATTEND QUE VOUS AYEZ TERMINÉ DE DESSINER VOTRE HISTOIRE, ET JE CROIS QUE C'EST LE CAS, NON ?
OUI, MAIS... COMMENT DIRE ? JE N'AI PAS ENVIE DE ME JUSTIFIER... SI ELLE A CONFIANCE EN MOI, CE N'EST PAS NÉCESSAIRE...
!
C'EST BON, J'AI COMPRIS. JE VAIS APPELER MASHIRO.
MASHIRO ? IL EST LÀ...
AH ! TU PEUX ME LE PASSER, S'IL TE PLAÎT ?
ELLE VEUT TE PARLER. FAIS GAFFE, ELLE EST ÉNERVÉE...
HEIN ? ON NE S'EST PLUS REPARLÉ COMME ÇA DEPUIS MA SORTIE DE L'HÔPITAL... ATTENDS UN PEU, ELLE T'A ENTENDU, LÀ !
ALLÔ ?
BONJOUR...
BONJOUR...
ALORS ? EXPLIQUE-MOI. JE SUPPOSE QUE TAKAGI T'A TOUT DIT, NON ?
EUH... BEN... IWASE ET LUI SE SONT RENCONTRÉS PAR HASARD, CE N'ÉTAIT PAS UN RENDEZ-VOUS PROGRAMMÉ.
VOILÀ.
BON ! ALORS, POURQUOI IWASE AVAIT-ELLE PRÉPARÉ UNE LETTRE POUR LUI ? C'EST BIZARRE, ÇA.
HEIN ?! UNE LETTRE !?
BAM
KAYA M'A DIT QU'ELLE ÉTAIT INSÉRÉE DANS UN LIVRE.
C'EST VRAI ?!

AH !
...
A... ATTENDS UN INSTANT, S'IL TE PLAIT.
...

JE PEUX LUI PARLER D'AOKI ?
SURTOUT PAS...
ET COMMENT JE LUI EXPLIQUE ALORS ...?
JE SUIS DÉSOLÉ, ÇA CONCERNE TAKAGI, JE NE PEUX PAS T'EN DIRE PLUS.
!
MASHIRO...
?
ÇA ME REND TRISTE. POURQUOI ME CACHES-TU DES CHOSES ?
AH... MAIS NON...!

À L'HÔPITAL, J'AI DÉCOUVERT QUE TON ONCLE S'APPELAIT TARÔ KAWAGUCHI, QUI SE TROUVAIT ÊTRE L'HOMME QUE MA MÈRE AIMAIT AUTREFOIS.
AH...
MA MÈRE AUSSI AIME LE JUMP, ET ELLE M'AVAIT PARLÉ D'UN HOMME AVEC QUI ELLE AVAIT ENTRETENU UNE RELATION UNIQUEMENT ÉPISTOLAIRE QUI N'AVAIT PAS ABOUTI... QUAND J'ÉTAIS PETITE, "LA LÉGENDE DES SUPERHÉROS" ÉTAIT LE SEUL DESSIN ANIMÉ QU'ELLE REGARDAIT, ASSISE SUR LE CANAPÉ AVEC MOI.

QUAND TU AS SU QUE TON ONCLE ET MA MÈRE AVAIENT EU CETTE RELATION, TU AS DEMANDÉ À MA MÈRE DE NE RIEN ME DIRE, N'EST-CE PAS ?
...
POURQUOI FAIS-TU DES CACHOTTERIES ? C'EST BIEN LE CAS, N'EST-CE PAS ?
J'AI SIMPLEMENT PENSÉ QUE ÇA NE VALAIT PAS SPÉCIALEMENT LA PEINE D'EN PARLER... ET JE NE VOIS PAS LE RAPPORT QU'IL Y A AVEC L'HISTOIRE DE TAKAGI...
AH BON ? L'HISTOIRE ENTRE TON ONCLE ET MA MÈRE REVÊT UN SENS PARTICULIER POUR NOUS DEUX. DE PLUS, DANS LA MESURE OÙ NOUS SOMMES SÉPARÉS PHYSIQUEMENT, JE PENSE QU'ON NE DOIT JAMAIS RIEN SE CACHER.
OUI, MAIS... JE N'AI RIEN CACHÉ, JE...
DANS CE CAS, EXPLIQUE-MOI L'HISTOIRE DE TAKAGI.
ÇA... NON...
...
...
MASHIRO, JE NE PEUX PLUS TE FAIRE CONFIANCE.
CLIC!
AH...
AAAH ?!

JE CROIS QUE JE VIENS DE ME FAIRE LARGUER PAR AZUKI...
QUOI ?!

LES NEMUS D'OBATA

Les planches terminées !

BAKUMAN - VOL. 8
Du découpage à la planche finie
Épisode 64 - pages 56-57

Page 65
Têtu et simple

ELLE A DÉCOUVERT QUE J'AVAIS CACHÉ L'HISTOIRE ENTRE MON ONCLE ET SA MÈRE, ET ELLE A RACCROCHÉ EN DISANT "JE NE PEUX PLUS TE FAIRE CONFIANCE"...
ÇA, ÇA CRAINT...

RASSURE-MOI... ELLE EST JUSTE UN PEU FÂCHÉE, HEIN ? ON S'AIME DEPUIS L'ÉCOLE PRIMAIRE, ON S'EST PROMIS DE SE MARIER, ÇA NE PEUT PAS SE TERMINER COMME ÇA, HEIN ?
AH, ÇA...

AZUKI EST UNE FILLE HYPERINTÈGRE... ENFIN, JE PENSE QU'ELLE PARDONNERAIT ENCORE MOINS FACILEMENT UNE INFIDÉLITÉ QUE MIYOSHI.

HÉ !! MAIS JE N'AI PAS ÉTÉ INFIDÈLE, MOI !!
AH... OUI, C'EST VRAI... TU N'AS RIEN FAIT DE MAL, TOI... EN TOUT CAS, AVEC UNE FILLE COMME AZUKI, DANS CETTE SITUATION, C'EST MAL BARRÉ.

BEN ÇA... JE VAIS COMMENCER PAR M'EXCUSER...
OUI, MAIS COMMENT ...?
BIP !
BIP !

ALLÔ ? C'EST MOI.
OUI...

JE SUIS DÉSOLÉ POUR TOUT À L'HEURE, MAIS ON N'A RIEN FAIT DE MAL, CROIS-MOI.
JE TE CROIS. C'EST POUR ÇA QUE J'AIMERAIS QUE TU M'EXPLIQUES.

NON. SI TU ME CROIS, JE N'AI RIEN À T'EXPLIQUER, SURTOUT QUE C'EST LE PROBLÈME DE SHÛJIN ET DE MIYOSHI...
MAIS PUISQUE VOUS N'AVEZ RIEN FAIT DE MAL, TU DOIS POUVOIR M'EXPLIQUER FACILEMENT. SINON, J'AI L'IMPRESSION QUE TU COUVRES TAKAGI POUR CACHER DES CHOSES.

AZUKI, LORSQUE TU HÉSITAIS À SORTIR UN RECUEIL DE PHOTOS DE CHARME, TU ME L'AS CACHÉ, N'EST-CE PAS ?
!
NE RIEN DIRE POUR NE PAS INQUIÉTER QUELQU'UN ET SE TAIRE POUR CACHER QUELQUE CHOSE DE MAL, C'EST TRÈS DIFFÉRENT.

MAIS PUISQUE JE TE DIS QU'ON N'A RIEN FAIT DE MAL ! POURQUOI NE VEUX-TU PAS COMPRENDRE ?
PARCE QUE, SI C'ÉTAIT VRAIMENT LE CAS, TU DEVRAIS POUVOIR M'EN PARLER.
...

TU NE ME CROIS PAS, ALORS...?
SI TU AVAIS CONFIANCE EN MOI, TU DEVRAIS POUVOIR TOUT ME DIRE.

ASSEZ, J'EN AI MARRE.
TU M'ENLÈVES LES MOTS DE LA BOUCHE.
C'EST PEINE PERDUE... ÇA M'ÉNERVE...
B-P !
AH...
FINALEMENT, NI ELLE NI MIYOSHI NE NOUS FONT CONFIANCE ! ALORS QUE JE ME TUE À LUI DIRE QU'ON N'A RIEN FAIT DE MAL...
AAAH...
TOUT EST MANIFESTEMENT DE MA FAUTE... SI JAMAIS SAIKÔ ET AZUKI SE SÉPARENT À CAUSE DE MOI...

ÇA SUFFIT. JE VAIS TOUT LUI DIRE.
AZUKI COM-PRENDRA.
TU VAS LUI EXPLIQUER QUE TU ÉCHANGEAIS DES IDÉES AVEC AOKI ? ET TU CROIS QUE MIYOSHI VA COM-PRENDRE ÇA ?
POUR COMMENCER, JE VAIS ARRÊTER CETTE MÉTHODE DE TRAVAIL AVEC AOKI.
UNE FOIS QUE CE SERA FAIT, JE DIRAI TOUT À MIYOSHI ET JE LUI PROMETTRAI DE NE PLUS RECOMMENCER. SI, MALGRÉ TOUT, ELLE NE VEUT PAS ME PARDONNER, ALORS TANT PIS.
CELA DEVRAIT AU MOINS VOUS PERMETTRE, À TOI ET À AZUKI, DE VOUS RÉCONCILIER !

ON N'A JAMAIS FAIT QU'ÉCHANGER DES IDÉES, ET JE N'Y SUIS POUR RIEN SI IWASE A DEMANDÉ À AOKI D'ORGANISER UNE RENCONTRE. JE NE VOIS PAS OÙ EST LE PROBLÈME.
EN EFFET...
IL FAUT BATTRE LE FER QUAND IL EST CHAUD. J'APPELLE AOKI.
BIP ! BIP !
MAIS COMMENT VA RÉAGIR AOKI ?
PAS LE CHOIX. JE VAIS M'EXCUSER, MAIS IL FAUT QU'ON ARRÊTE.
♫
TAKAGI ! D'HABITUDE, C'EST TOUJOURS LE SOIR...

BONJOUR !
AH... BONJOUR... TU AS L'AIR BIEN JOYEUSE, AUJOURD'HUI...
AH... PARDON... JE TRAVERSE UNE PETITE CRISE DE CONFIANCE À L'ÉGARD DES HOMMES...
... MAIS TU FAIS EXCEPTION : J'AI CONFIANCE EN TOI, ET EN PLUS, ON PEUT PARLER DE MANGAS...
... ALORS, SINCÈREMENT, TON APPEL ME FAIT TRÈS PLAISIR.

MON APPEL... TE FAIT TRÈS PLAISIR...?
OUI, VRAI-MENT...
SI ON N'AVAIT PAS TRAVAILLÉ EN ÉCHANGEANT NOS IDÉES COMME ÇA, JE CROIS QUE MA CRISE DE CONFIANCE NE SE SERAIT PAS LIMITÉE AUX HOMMES, MAIS À TOUT LE MONDE.
ALORS, MERCI.
...
?
TU SAIS, C'EST LA PREMIÈRE FOIS QUE ÇA M'ARRIVE... UN GARÇON AVEC QUI JE PEUX ÊTRE NATURELLE, PARLER DE TOUT... JE SAIS QU'ON ME CONSIDÈRE COMME UNE PERSONNE FROIDE ET DISTANTE, ALORS, NOTRE RELATION N'EN EST QUE PLUS IMPORTANTE...
EN TANT QUE MANGAKAS, EN TANT QUE RIVAUX PARFOIS, J'ESPÈRE QU'ON CONTINUERA LONGTEMPS À COMMUNIQUER COMME ÇA.
...
RAAH... IMPOSSIBLE DE LUI ANNONCER MAINTENANT QU'ON DOIT S'ARRÊTER ?!
AAH...
AH... JE TE RAPPELLERAI CE SOIR. LÀ, JE SUIS AVEC MASHIRO...
AH... ENTENDU, J'ATTENDS TON APPEL.
CLAP

C'EST SÛR QUE LÀ, TU NE PEUX PAS LUI ANNONCER QUE VOUS ALLEZ ARRÊTER VOTRE COLLABORATION... APRÈS TOUT, ELLE N'Y EST POUR RIEN, ELLE... AU CONTRAIRE, ELLE T'AIDE...
DÉSOLÉ !
JE CROIS QUE JE DEVRAIS DIRE TOUTE LA VÉRITÉ À AZUKI... ELLE A BIEN SIGNALÉ QUE C'ÉTAIT LES CACHOTTERIES QU'ELLE DÉTESTAIT...
ELLE VA LE RÉPÉTER À MIYOSHI... ET NE LUI DEMANDE PAS DE SE TAIRE, SINON ÇA VA ENCORE PLUS L'ÉNERVER.
OUAIS...

C'EST BON...
LAISSONS ÇA DE CÔTÉ ET VOYONS UN PEU CE QUE ÇA DONNE.
NOS RELATIONS AVEC MIYOSHI ET AZUKI NE VONT PAS S'ARRÊTER POUR SI PEU...
SLAT
HAA HAA HAA HAA
C'EST AUSSI MON AVIS, MAIS... ÇA M'EMBÊTE DE VOUS AVOIR MÊLÉS À ÇA...
DE TOUTE FAÇON, IL FAUDRAIT QUAND MÊME QU'ELLES AIENT UN PEU PLUS CONFIANCE EN NOUS ! SI ELLES VIENNENT S'EXCUSER, ON LEUR DIRA TOUT. C'EST CE QU'ON A DE MIEUX À FAIRE SI ON VEUT ÉVITER DE SE FAIRE MENER À LA BAGUETTE À L'AVENIR.
OUI, PROBABLEMENT...

OUAIS...
ALLEZ ! AU TRAVAIL ! LES NEMUS D'UNE ÉVENTUELLE SÉRIE DE "TANTO" NOUS ATTENDENT !!
"SI ELLES VIENNENT S'EXCUSER"...
CE N'EST PAS BON ÇA... PARCE QUE SAIKÔ EST TÊTU COMME PAS DEUX...

VLAM
パタン
SAT!
ME VOILÀ !
DÉSOLÉE D'ÊTRE ARRIVÉE COMME ÇA.
LÀ, JE CROIS QUE J'AI TOUT CE QU'IL FAUT.
MASHIRO NE VAUT PAS MIEUX QUE TAKAGI.
AZUKI
MAIL BOX

HEIN ?
JE VIENS DE LES APPELER.
TU LES AS APPELÉS ?

ILS NOUS CACHENT TOUS LES DEUX QUELQUE CHOSE.
...

"TOUS LES DEUX" ? TU AS AUSSI PARLÉ À MASHIRO ?
OUI. ON S'EST DISPUTÉS.

UNE DISPUTE... ENTRE MIHO ET MASHIRO ?

JE N'ADMETS PAS QU'IL ME FASSE DES CACHOTTERIES. C'EST IMPARDONNABLE.
AH... OUI, MAIS...

ZUT... À CAUSE DE NOUS...
QUE DOIS-JE FAIRE ? MIHO EST TELLEMENT TÊTUE QUAND ELLE VEUT... COMME MASHIRO, EN FAIT...

16 AOÛT. JOUR DE MISE EN VENTE DE L'AKA-MARU.
D'HABITUDE, LE JOUR DE LA SORTIE, ELLE T'ENVOIE UN MAIL AVEC SES IMPRES-SIONS, HEIN ?
AZUKI AURAIT PU SE DIRE QUE C'ÉTAIT L'OCCASION DE SE RÉCONCILIER...
C'EST BON, LAISSE TOMBER...
AH, NON ! TU TOURNES À DEUX DE TENSION DEPUIS LE JOUR DE VOTRE DISPUTE !
...
NE SOIS PAS TÊTU ET VA TOUT LUI DIRE.
JE T'AI DIT DE LAISSER TOMBER... IL EST HORS DE QUESTION QUE JE FASSE LE PREMIER PAS.
PENSE PLUTÔT À TES NEMUS QUI N'AVANCENT PAS !
C'EST-À-DIRE QUE JE M'INQUIÈTE POUR VOUS... VOUS VOUS AIMIEZ TANT...
MENTEUR ! C'EST MIYOSHI QUI T'INQUIÈTE.
NON, C'EST LA VÉRITÉ.

PRIORITÉ AUX NEMUS !
HAA... AVEC L'AKAMARU, ON N'A PAS LE HON-CHAN AVANT UNE DIZAINE DE JOURS... VU LA FAÇON DONT ÇA S'ÉTAIT PASSÉ AVEC "NOTRE MONDE", J'AI DIT À M. MIURA QU'ON NE VOULAIT PAS CONNAÎTRE LE SOKUHÔ...
AH... ON AVAIT ÉTÉ PREMIERS AU SOKUHÔ ET ON A FINI TROISIÈMES AU HON-CHAN... JE ME LE RAPPELLE BIEN... C'EST AUSSI L'AKAMARU...
C'EST "CROW" QUI AVAIT ÉTÉ PREMIER... ÊTRE EN TROISIÈME PLACE, C'ÉTAIT DONC UN BON SCORE, ON AURAIT PEUT-ÊTRE PU TENTER UNE SÉRIE...
...

TU CROIS QUE "TANTO" PEUT DÉCROCHER LA PREMIÈRE PLACE ?
NON, JE NE CROIS PAS, J'EN SUIS SÛR !
CRAT
AVEC UN LECTORAT PLUS JEUNE, JE LE PENSE AUSSI, MAIS L'AKAMARU TOUCHE UN PUBLIC ASSEZ ÂGÉ EN MOYENNE, ALORS...
SAIKÔ... FINALEMENT, TU AS QUAND MÊME BESOIN D'UN MAIL D'AZUKI QUI TE DISE QUE C'ÉTAIT BIEN, HEIN ?
PAS DU TOUT ! TU ES LOURD !

UNE SEMAINE PLUS TARD...
OUI !!
"TANTO" EST N° 1 DU SOKUHÔ !!
ZUT... "TRUE HUMAN" N'EST QUE DEUXIÈME... ET LE MANGA D'AOKI QUATRIÈME...

J'AIMERAIS BIEN L'ANNONCER À ASHIROGI, MAIS IL M'A FAIT PROMETTRE DE NE L'APPELER QUE POUR LE HONCHAN...
ET COMME JE SAIS QUE JE NE POURRAI PAS RESTER DE MARBRE...
... IMPOSSIBLE DE FAIRE UNE RÉUNION AVANT D'AVOIR LE HONCHAN.
LA DIFFÉRENCE ENTRE LES VOTES EST FAIBLE... "TRUE HUMAN" PEUT ENCORE RENVERSER LA TENDANCE... PAR CONTRE, POUR "AU TEMPS DES FEUILLES VERTES", C'EST RATÉ... NON, PAS FORCÉMENT... ON NE PEUT QU'ATTENDRE LES RÉSULTATS DE LA SEMAINE PROCHAINE...
UNE SEMAINE PLUS TARD...
HONCHAN...!

IL EST PREMIER !!
N° 1 !!
YEEEH !!
ON A GAGNÉ !!
C'EST LA PREMIÈRE FOIS QU'ON EST N° 1 !! JE SUIS TROP CONTENT !
C'EST EXACTEMENT PAREIL POUR MOI EN TANT QUE RESPONSABLE !! IL N'Y A PAS DE QUOI S'EN VANTER, MAIS BON ! HA ! HA ! HA !
ALLEZ ! ON DOIT SE PRÉPARER TOUT DE SUITE POUR LA PROCHAINE RÉUNION ÉDITORIALE ! O.K. ?
OUI ! ON FERA DE NOTRE MIEUX !!

C'EST GÉNIAL, HEIN ?
ドキ ドキ DOM DOM
OUAIS. JE N'IMAGINAIS PAS QUE ÇA ME FERAIT TANT PLAISIR D'ÊTRE N° 1 DES VOTES... LA PROCHAINE FOIS, ON DOIT REMETTRE ÇA DANS LE JUMP NORMAL.
ドキ DOM DOM
ドキ ドキ DOM DOM
JE ME DEMANDE À QUELLE PLACE ON SE SERAIT CLASSÉS DANS LE JUMP NORMAL...
POURQUOI FAUT-IL QUE TU DISES ÇA MAINTENANT ? TU VAS GÂCHER LE PLAISIR... TROISIÈMES PEUT-ÊTRE ? EN TOUT CAS, DANS LES CINQ PREMIERS... ON FERAIT MIEUX QUE "TEN", C'EST SÛR. CE SERAIT UNE GRANDE RÉUSSITE !
OUI !
...
OUI ? QU'EST-CE QU'IL Y A CETTE FOIS ?
JE VAIS L'ANNONCER À AZUKI.
BIEN !
CLAP
NOUVEAU MESSAGE
Miho Azuki
On y est arrivés
110Byte
"Cours, Tanto Daihatsu" a décroché la première place du vote des lecteurs ! On va en faire une série et, la prochaine fois, on vise la première place dans le Jump normal !
Répondre Sélectionner Menu
DIFFICILE D'IMAGINER QU'ELLE EST ENCORE AU TRAVAIL À CETTE HEURE-CI... ELLE POURRAIT AU MOINS T'ENVOYER UN PETIT "BRAVO"... ELLE EST SI FÂCHÉE QUE ÇA...?
C'ÉTAIT POURTANT UNE MANIÈRE POUR MOI DE FAIRE LE PREMIER PAS... ELLE NE ME RÉPONDRA PAS TANT QUE JE NE ME SERAI PAS EXCUSÉ...?
C'EST QUAND MÊME RUDE DE SA PART...
OUI, UN PEU...
PFFF

♫ ♪
TIENS ! C'EST MON TÉLÉPHONE...
C'EST AOKI. C'EST RARE QUE CE SOIT ELLE QUI M'APPELLE.
CLAP
ALLÔ ?

FÉLICITATIONS !
AH... MERCI !
MOI, JE SUIS TROISIÈME.
TROISIÈME ? C'EST BIEN ! JE PEUX TE DIRE BRAVO, NON ?

C'EST VRAI QUE JE NE SUIS PAS SATISFAITE, MAIS... C'EST MASHIRO ET TOI, AVEC QUI J'AI COLLABORÉ, QUI AVEZ DÉCROCHÉ LA PREMIÈRE PLACE, ALORS, JE SUIS SINCÈREMENT CONTENTE POUR VOUS.
CLAP
MERCI BEAUCOUP !
AOKI... C'EST QUAND MÊME UNE FILLE BIEN... LES AUTRES NE SAVENT PAS CE QU'ILS PERDENT... ELLE EST NATURELLE, HONNÊTE...
À CÔTÉ D'ELLE, MIYOSHI N'EST QU'UNE GAMINE...
...

YAMAHISA... "TRUE HUMAN" ET "AU TEMPS DES FEUILLES VERTES" SONT RESPECTIVEMENT 2e ET 3e...
FACE À ASHIROGI, C'EST UN BON SCORE.
OUI... C'EST SUFFISANT POUR QU'ILS PUISSENT PRÉTENDRE À UNE SÉRIALISATION. SURTOUT QU'ILS N'AVAIENT PAS LA COUVERTURE NI DE PAGES COULEUR... IL N'Y A PAS UNE GROSSE DIFFÉRENCE DANS LE NOMBRE DE VOTES.
YAMAHISA...
OUI.
J'AI DISCUTÉ AVEC NOS SUPÉRIEURS, ET "TRUE HUMAN" POSE DES PROBLÈMES DANS L'EXPRESSION. SI SHIZUKA VEUT TENTER UNE SÉRIE, IL DOIT LE FAIRE AVEC UNE AUTRE HISTOIRE.
QUOI ? ALORS QU'IL EST CLASSÉ DEUXIÈME DANS L'AKAMARU ?
SINCÈRES CONDOLÉANCES...
À L'INVERSE, "AU TEMPS..." D'AOKI EST CLASSÉ 3e. C'EST UNE BELLE PERF AVEC CE STYLE DE DESSIN. LE MANGA A SU PLAIRE AUX FILLES ET AUX GARÇONS LES PLUS ÂGÉS DE NOTRE LECTORAT.
IL Y A LONGTEMPS QU'ON N'AVAIT PAS EU UNE HISTOIRE D'AMOUR COMME ÇA.
!!

CELA VAUDRAIT LE COUP DE RETENTER L'EXPÉRIENCE EN CONFIANT LES PERSONNAGES ET LE SCÉNARIO À AOKI, ET TOUT LE RESTE À NAKAI...
DANS LE JUMP NORMAL, CETTE FOIS...
VOUS LE PENSEZ VOUS AUSSI ? C'EST VRAI QUE LES ARRIÈRE-PLANS SONT ASSEZ RATÉS... ELLE A FAIT DE SON MIEUX, MAIS AU MILIEU DU RESTE, ÇA DÉNOTE... SURTOUT QU'AVANT MÊME DE SAVOIR SI SON DESSIN TITILLE LES LECTEURS, IL EST CLAIR QUE LES POSES ET LA COMPOSITION GLOBALE NE VONT PAS...
JE CROIS QU'IL FAUT VRAIMENT LA REMETTRE AVEC NAKAI.
JE N'AI PAS DIT MON DERNIER MOT FACE À "TANTO".
OUI... C'EST UN GENRE D'HISTOIRE D'AMOUR QU'ON N'A PAS VU DEPUIS LONGTEMPS ; JE COMPTE SUR TOI. DÉBROUILLE-TOI POUR DÉCROCHER ENSUITE L'ADAPTATION EN FEUILLETON.

JE NE SUIS QUE TROISIÈME, DERRIÈRE TAKAGI ET MASHIRO QUI SONT PREMIERS... COMMENT SE FAIT-IL QUE JE SOIS SI CONTENTE ALORS ?
CELA VEUT-IL DIRE QUE J'AIME...
NON ! IL NE FAUT PAS ! IL A DÉJÀ UNE PETITE AMIE !...
C'EST UN AMOUR DÉFENDU...
♫
C'EST YAMAHISA ! JE SUIS DÉSOLÉ DE VOUS AVOIR PARLÉ AINSI TOUT À L'HEURE,
MAIS JE N'AI FAIT QUE VOUS DONNER L'AVIS DE LA RÉDACTION EN VOUS DISANT QU'IL SERAIT MIEUX DE CONFIER LE DESSIN À M. NAKAI !
GLOUPS
ON POURRAIT RETENTER NOTRE CHANCE AINSI ! ET ÇA MARCHERA, J'EN SUIS SÛR !
FINALEMENT, MES DESSINS SONT INSUFFISANTS... MAIS RETRAVAILLER AVEC M. NAKAI...
JE... JE SUIS PRÊTE À ACCEPTER SI VOUS PENSEZ QUE CELA AMÉLIORERA LE MANGA. JE VOUS FAIS CONFIANCE.
MON STYLE N'EST PAS ENCORE ADAPTÉ À UN MAGAZINE POUR ADOLESCENTS... JE VOIS BIEN CE QUI ME MANQUE...
FLAP
FLAP
C'EST VRAI ? DANS CE CAS, JE VAIS EN DISCUTER AVEC M. NAKAI.
NON, JE VAIS ME CHARGER DE L'APPELER. ÇA IRA PLUS VITE DE CETTE MANIÈRE...
AH... OUI, C'EST VRAI. CE NE SERAIT PAS POUR UNE SÉRIE TOUT DE SUITE. ALORS, PRENEZ VOTRE TEMPS POUR LE CONVAINCRE.
SAT

♫ ♪
TAKA-HAMA
AOKi !
BONSOiR...
!

BONSOiR...
TIC チラ

JE ME DEMANDAIS Si VOUS ACCEPTERIEZ QU'ON RETRAVAILLE ENSEMBLE...
ATTENDEZ UN iNSTANT, S'iL VOUS PLAiT.
TAC ガタッ

KÔ AOKi...
J'AVAIS DU MAL À Y CROIRE MAIS SON MANGA "AU TEMPS DES FEUILLES VERTES" SEMBLE BEL ET BIEN RACONTER UNE HISTOIRE D'AMOUR ENTRE ELLE ET MOI...

EXCUSEZ-MOi, JE SORS UN iNSTANT.
OUi...
GRRR
CLAC
HE !
HI
HI HI

EH BEN... PAS FACILE D'ÊTRE UN PLAY-BOY...
CLANG

PAS ENCORE DES NEMUS POUR UNE SÉRIE ?
NON... ON COMMENCERAIT PAR UNE HISTOIRE COMPLÈTE DANS LE JUMP.

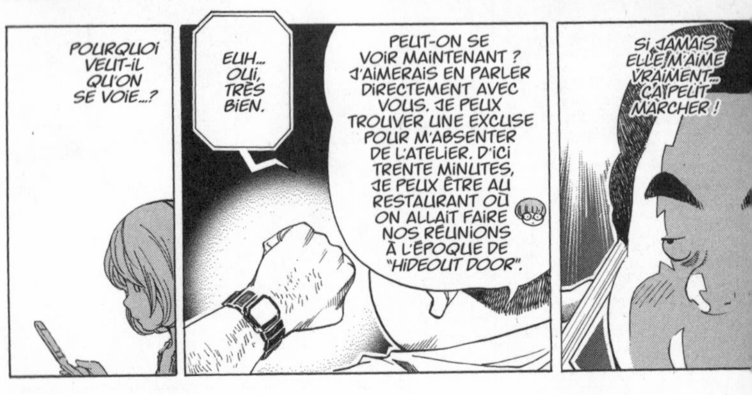
SI JAMAIS ELLE M'AIME VRAIMENT... ÇA PEUT MARCHER !
PEUT-ON SE VOIR MAINTENANT ? J'AIMERAIS EN PARLER DIRECTEMENT AVEC VOUS. JE PEUX TROUVER UNE EXCUSE POUR M'ABSENTER DE L'ATELIER. D'ICI TRENTE MINUTES, JE PEUX ÊTRE AU RESTAURANT OÙ ON ALLAIT FAIRE NOS RÉUNIONS À L'ÉPOQUE DE "HIDEOUT DOOR".
EUH... OUI, TRÈS BIEN.
POURQUOI VEUT-IL QU'ON SE VOIE...?

TAC
DÉSOLÉ DE VOUS AVOIR FAIT ATTENDRE. JE NE PEUX PAS M'ABSENTER LONGTEMPS DU TRAVAIL. ALORS, JE VAIS PARLER SANS DÉTOUR.
?
EN FAIT, LÀ OÙ JE TRAVAILLE ACTUELLEMENT, IL Y A UNE ASSISTANTE, NATSUMI KATÔ, AVEC QUI JE M'ENTENDS TRÈS BIEN, ET LE TRAVAIL SE PASSE BIEN ÉGALEMENT.
...
SLURP

DU COUP, J'HÉSITE... KATÔ ? VOUS ?
JE NE SAISIS PAS BIEN...
SI VOUS ACCEPTEZ DE SORTIR AVEC MOI...
... IL EST CLAIR QUE C'EST VOUS QUE JE CHOISIRAI, ET J'ACCEPTERAI DE VISER UNE SÉRIE AVEC VOUS.
CLANG
CLAC
!
AUTREMENT DIT, SI VOUS VOULEZ QU'ON REFASSE ÉQUIPE, SORTEZ AVEC MOI. C'EST LA CONDITION QUE J'IMPOSE.

MONSIEUR NAKAI...
CLAC
CLANG
OUI ...
?

PAF
OH !
AH...
SLAT
ÇA ARRIVE VRAIMENT CE GENRE DE TRUC...
VOUS ÊTES VRAIMENT DÉGUEULASSE.

JE DOIS VOUS AVOUER QUE JE VOUS AIME POUR QU'ON PUISSE RETRAVAILLER ENSEMBLE ?
ON DOIT SORTIR ENSEMBLE ? EN TANT QU'HOMME...
... EN TANT QUE PERSONNE, ON NE PEUT PAS FAIRE PIRE !
...
VOUS LE PRENEZ COMME ÇA ?
TRÈS BIEN... EN DISANT CELA, VOUS ME FACILITEZ LA TÂCHE. JE N'AI PLUS D'HÉSITATION.
CLAC
JE SAIS PARFAITEMENT LA ROUTE QUE JE DOIS PRENDRE MAINTENANT.
NATSUMI M'ATTEND, J'Y VAIS...
SAT
ADIEU.

LES NEMUS D'OHBA
さよなら
僕の進む道がはっきりしました
あなた最低です
LES NEMUS D'OBATA
Les planches terminées !
BAKUMAN - VOL. 8
Du découpage à la planche finie
Épisode 65 - pages 84-85

POUR LE PREMIER CHAPITRE, J'AI CHOISI LE CHEWING-GUM QUI FAIT DIRE DE BELLES PHRASES ET LE COUP DE POING À DOUBLE RÉPERCUSSION...
POUR LE CHAPITRE DEUX, D'APRÈS TOI, QUELLE EST LA MEILLEURE INVENTION ?
...
SLAT
CLAC
CLAC
Page 66
Singe et mariage
FRENCH CURVE

?
AZUKI EST DOUBLEUSE MAINTENANT...

PLUS DE DEUX MOIS QUE SAIKÔ ET AZUKI ONT CESSÉ DE S'ENVOYER DES MAILS... C'EST CLAIR QUE ÇA COMMENCE À DEVENIR DUR POUR LUI...

JUSQU'À CE QUE NOTRE RÊVE SE RÉALISE, ON GARDERA ÇA POUR NOUS ET ON S'ENCOURAGERA.
JE T'ATTENDRAI, TOUJOURS.
NOTRE MANGA DEVIENDRA UN DESSIN ANIMÉ, AZUKI DOUBLERA L'HÉROÏNE... NOTRE RÊVE RÉALISÉ, ON SE MARIERA...
CETTE PROMESSE DOIT ENCORE PERSISTER... SI ON A UNE SÉRIE, D'ICI À CE QU'ELLE SOIT ADAPTÉE EN DESSIN ANIMÉ... PFF... ÇA VEUT DIRE QUE JE NE LUI ENVERRAI PAS DE MAILS AVANT L'OFFICIALISATION DE L'ADAPTATION... MAIS APRÈS, EST-CE QU'ELLE VA ENCORE VOULOIR...?

SAIKÔ !
HEIN ?
JE VAIS RENTRER ET RÉFLÉCHIR CHEZ MOI. JE TE LAISSE LA LISTE DES INVENTIONS. CLASSE-LES DANS L'ORDRE DE TES PRÉFÉRENCES.
SLAT
OUI, D'ACCORD... TU TRAVAILLES DUR, SHÛJIN...

PFF...
C'EST CLAIR QUE ÇA VA AVOIR UNE INFLUENCE SUR NOTRE MANGA...
CLAP
CE N'EST PLUS LE MOMENT DE S'ENTÊTER BÊTEMENT.
TOUT D'ABORD, UN MAIL.
BIP !
BIP ! BIP !

AZUKI
MAIL BOX
DITES, LES FILLES, QU'EST-CE QUI VOUS ARRIVE ?
ON NE PEUT PAS DIRE QUE VOUS ÊTES TRÈS JOYEUSES CES TEMPS-CI.
CUI CUI
JE SUIS DÉSOLÉE DE M'IMPOSER DEPUIS TOUT CE TEMPS... EN FAIT, JE ME SUIS DISPUTÉE AVEC MON AMI...
UN AMI ? UN GARÇON ?
EUH... OUI...

AU FAIT, OÙ EN SONT MASHIRO ET MIHO ? JE NE LES VOIS JAMAIS ENSEMBLE, ET MIHO NE M'EN PARLE PAS... RACONTE-MOI UN PEU CE QUI SE PASSE AVANT QU'ELLE RENTRE DU TRAVAIL...
QUE JE VOUS RACONTE ...?
AH ! UN MAIL...
SAUVÉE... QUAND LA MÈRE DE MIHO COMMENCE À POSER DES QUESTIONS, ELLE NE S'ARRÊTE PLUS...
!
TAKAGI !

SANS TITRE
Si jamais tu es encore chez Azuki, change d'endroit sans qu'elle te pose de questions. Je te rappelle dans 30 minutes.
Options
Répondr
QUOI ? DEPUIS QUAND JE DOIS RECEVOIR DES ORDRES DE LUI ?!
EXCUSEZ-MOI, UN COUP DE FIL À PASSER.
JE T'EN PRIE.

PAS QUESTION QUE J'ATTENDE UNE DEMI-HEURE COMME ÇA.
OH ! MIYOSHI ! QUELLE RAPIDITÉ !
"OH" ! C'EST TOUT CE QUE TU AS À DIRE ? VOUS N'ÊTES PAS UN PEU IDIOTS, TOUS LES DEUX ? C'EST QUOI, CE MANGA ?!
HEIN ? "TANTO" EST PLUTÔT MARRANT ! ON A ÉTÉ NUMÉRO 1 DES VOTES GRÂCE À LUI !
SHAT

Je ne parle pas de ça, mais du fameux manga dans lequel on parle de nos histoires d'amour à nous tous ! C'est la jolie dessinatrice Kô Aoki, hein ? Qui t'a autorisé à raconter notre vie à n'importe qui ? Je ne te dis pas... Miho était furax !
Ah... Celui-là... Je l'avais oublié...
Pff !! Je me doute que tu as dû aussi tout raconter à la romancière... Qu'est-ce que ça veut dire ? Vous passez vos journées tous les quatre ensemble, vous vous amusez bien, hein ? Une jolie fille chacun ! Les garçons infidèles ! Quand je pense qu'on n'a jamais fait une vraie sortie en amoureux tous les deux... Une jolie qui passe, et hop ! C'est réglé ! Tu pourrais au moins attendre qu'on soit officiellement sépar...
...
CRIII
RAAH !! Assez ! Tais-toi !!
Tu es encore chez Miho ? Le deuxième semestre de la fac va commencer. Alors, retourne chez toi !
Quoi ?! Après le mail, de vive voix maintenant ?! Depuis quand tu me donnes des ordres ?! Tu oublies un peu ta situation, non ?!
Quoi ?
Oh !! Allez, reviens !! Moi, je ne peux plus supporter que Saikô et Azuki en soient là aujourd'hui à cause de nous.
!
CUI CUI
C'est pareil pour moi, figure-toi, mais ce n'est pas notre faute, c'est ta faute !
Oh, ça va ! Ce qui est sûr, c'est qu'Azuki s'est fâchée à cause d'un malentendu. Il faut que je te l'explique. Alors, viens me rejoindre !
Hein ? Je dois comprendre que nous, on n'est pas séparés à cause d'un malentendu ? Tu m'as donc bien trompée !!
CRIII
La fer-me !!

301
AOKI
NATSUMI M'ATTEND...
ADIEU.

IMPOSSIBLE DÉSORMAIS DE DEMANDER À M. NAKAI DE DESSINER AVEC MOI...
QUE DOIS-JE FAIRE ?
JE VAIS EN PARLER À TAKAGI...
TÛT !
TÛT !
...

COMMENT OSES-TU DIRE QUE TU M'AIMES ALORS QUE TU ME TROMPES ?!
JE TE DIS QUE C'EST UN MALENTENDU ! J'AI DIT CLAIREMENT À IWASE QUE JE T'AIMAIS MILLE FOIS PLUS QU'ELLE ! C'EST SÉRIEUX !
ET PAR RAPPORT À AOKI ? COMBIEN DE FOIS PLUS ?
HUM... JE DIRAIS TROIS FOIS.
HEIN ? C'EST QUOI, CETTE RÉPONSE HYPER-RÉALISTE ?
MAIS, REMARQUE, C'EST RÉALISTE, DONC ÇA M'INCITE À TE CROIRE QUAND TU DIS QUE JE SUIS LA PREMIÈRE DANS TON CŒUR.
OUI ! C'EST TOI QUE J'AIME LE PLUS AU MONDE !
DANS CE CAS, TU POURRAIS AU MOINS M'EMMENER AU ZOO.
MAIS QU'EST-CE QUE TU...?
C'EST TOI QUI VIENS DE DIRE QUE JE SUIS CELLE QUE TU AIMES LE PLUS AU MONDE, NON ?
SHAT
SHAT SHAT
SHAT
SHAT SHAT

C'EST BON, TU AS GAGNÉ ! QUE DIRAIS-TU DE SE RETROUVER AU ZOO POUR QUE J'ESSAYE DE TE CONVAINCRE ?
HEIN...? JE PRÉFÉRERAIS QU'ON SE RÉCONCILIE, TRANQUILLEMENT, ET QU'ENSUITE ON FASSE UNE SORTIE EN AMOUREUX AU ZOO... JE TE PRÉVIENS, SI TU N'ES PAS CONVAINCANT, JE TE COLLE UNE RACLÉE !

ÇA NE DÉPEND QUE DE TOI. PARCE QUE POUR MOI, TU ES CELLE QUE J'AIME LE PLUS AU MONDE.
BON... D'ACCORD...
BIEN !! 15 HEURES DEVANT LES SINGES !!

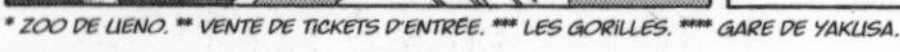
* ZOO DE UENO. ** VENTE DE TICKETS D'ENTRÉE. *** LES GORILLES. **** GARE DE YAKUSA.

自動券売機
使用できます。

LA MONTAGNE DES SINGES... J'ESPÈRE ARRIVER À RECONNAÎTRE MIYOSHI PARMI EUX...

QUOI ?! AOKI ?!

!
TAKAGI !

MAIS... POURQUOI...? MIYOSHI N'AURAIT QUAND MÊME PAS ARRANGÉ ÇA... NON... ELLE N'EN EST PAS CAPABLE...

SAT
J'AI ESSAYÉ DE T'APPELER PLUSIEURS FOIS TOUT À L'HEURE, MAIS C'ÉTAIT TOUJOURS OCCUPÉ.
HEIN ? AH, OUI...

TE RETROUVER ICI PAR HASARD... À UN MOMENT PAREIL...

"UN MOMENT PAREIL"...?
ELLE A LES LARMES AUX YEUX...

TAP

PAF
JE NE SAIS PLUS QUOI FAIRE...
QUE... QUE T'ARRIVE-T-IL ?

AH... SON PARFUM... ATTENDS, ATTENDS... TU N'OUBLIES PAS QUELQUE CHOSE ?
MIYOSHI ! OUI ! MIYOSHI AUSSI EST PEUT-ÊTRE PRÈS D'ICI... ET C'EST MÊME PLUS QU'UN SIMPLE "PEUT-ÊTRE"...

TADAN
J'EN ÉTAIS SÛR !!

SI TU VOULAIS ME CONVAINCRE, C'EST EN EFFET LE MEILLEUR MOYEN !!
PAF
C'EST... C'EST MA PETITE AMIE.
AH... C'EST TERRIBLE...
MADE-MOI-SELLE !! ATTEN-DEZ !!
WAOUH... ELLE EST CAPABLE DE CRIER COMME ÇA...
MAIS NON !!
!?
C'EST... JE...

VOUS N'AVEZ RIEN À CRAINDRE DE MOI !!
DRÔLE DE FAÇON DE DIRE LES CHOSES...
ばっ ばっ
TAP TAP
OUI, C'EST SÛR ! MON PETIT AMI TE SERRE DANS SES BRAS, QUE PUIS-JE CRAINDRE DE PIRE ? IMBÉCILE !! VOLEUSE !!
PAF
JE NE LA SERRAIS PAS DANS MES BRAS ! J'AVAIS JUSTE POSÉ MA MAIN SUR SON ÉPAULE !
TU JOUES SUR LES MOTS ! JE SUIS SÛRE QUE TU VOULAIS QUE JE TE VOIE EN TRAIN DE L'EMBRASSER, HEIN ?
DOM
C'EST BON, J'AI COMPRIS ! SOYEZ HEUREUX ! JE N'AI PLUS ENVIE DE TE FRAPPER !
MADE-MOISELLE, ATTENDEZ !
MIYOSHI !!
TA GUEULE !! FOUS-MOI LA PAIX !

ÉPOUSE-MOI !!
!
...
JE TE L'AI DÉJÀ DIT TOUT À L'HEURE ! C'EST TOI QUE J'AIME LE PLUS AU MONDE !
...
ALORS, ÉPOUSE-MOI !!
ÇA NE VA PAS, NON ? TU IMAGINES QUE TU VAS ME RETENIR EN IMITANT MASHIRO ?
CE N'EST PAS UNE IMITATION. JE TE DEMANDE DE M'ÉPOUSER, MAINTENANT !
"MAINTENANT" ? JE N'AI QUE 19 ANS ET TOI 18 !!
ET ALORS ? LÉGALEMENT, ON PEUT SE MARIER !
NE T'EN FAIS PAS ! J'AI ENCORE CINQ MILLIONS DE YENS* D'ÉCONOMIE ET JE SUIS SÛR QU'ON VA BIENTÔT AVOIR UNE SÉRIE !!
MAIS ON EST ENCORE ÉTUDIANTS !

* ENVIRON 45 000 EUROS.

UN MARIAGE ENTRE ÉTUDIANTS, JE TROUVE ÇA TRÈS BEAU.
“JE TROUVE ÇA TRÈS BEAU”... ET D'ABORD, TU ES QUI, TOI ? JE CROYAIS QU'IWASE ET TOI ÉTIEZ D'ACCORD POUR ME TROMPER...
SLAT
JE M'APPELLE YURIKO AOKI. J'ÉCRIS SOUS LE PSEUDONYME DE KÔ AOKI DANS LE JUMP.
ÇA, JE LE SAIS DÉJÀ, MERCI...
TU ÉTAIS DANS SES BRAS, ET TU DESSINES UN MANGA QUI PARLE DE NOUS... IL EST CLAIR QUE TU ES PROCHE DE TAKAGI !
ÇA, JE NE LE NIE PAS.
MAIS...
ON NE PARLAIT QUE DE MANGAS...
DANS LES BRAS L'UN DE L'AUTRE, VOUS DISCUTIEZ MANGAS, HEIN ?
MA MAIN ÉTAIT SUR SON ÉPAULE POUR UNE RAISON TRÈS PRÉCISE...
N'EST-CE PAS ?
HEIN ? AH, OUI...
ENFIN, NON... DISONS QUE JE N'AVAIS PAS DE BONNES RAISONS POUR ME RETROUVER DANS LES BRAS DE TAKAGI.
!
AH !!
PFF...
JE NE COMPRENDS RIEN À CE QUE VOUS FAITES, TOUS LES DEUX !
C'EST NORMAL, TU N'ÉCOUTES PAS ATTENTIVEMENT CE QUE JE TE DIS ! CALME-TOI ET LAISSE-MOI PARLER.
...
BON... D'ACCORD.
AU POINT OÙ ON EN EST, AUTANT TOUT SAVOIR.

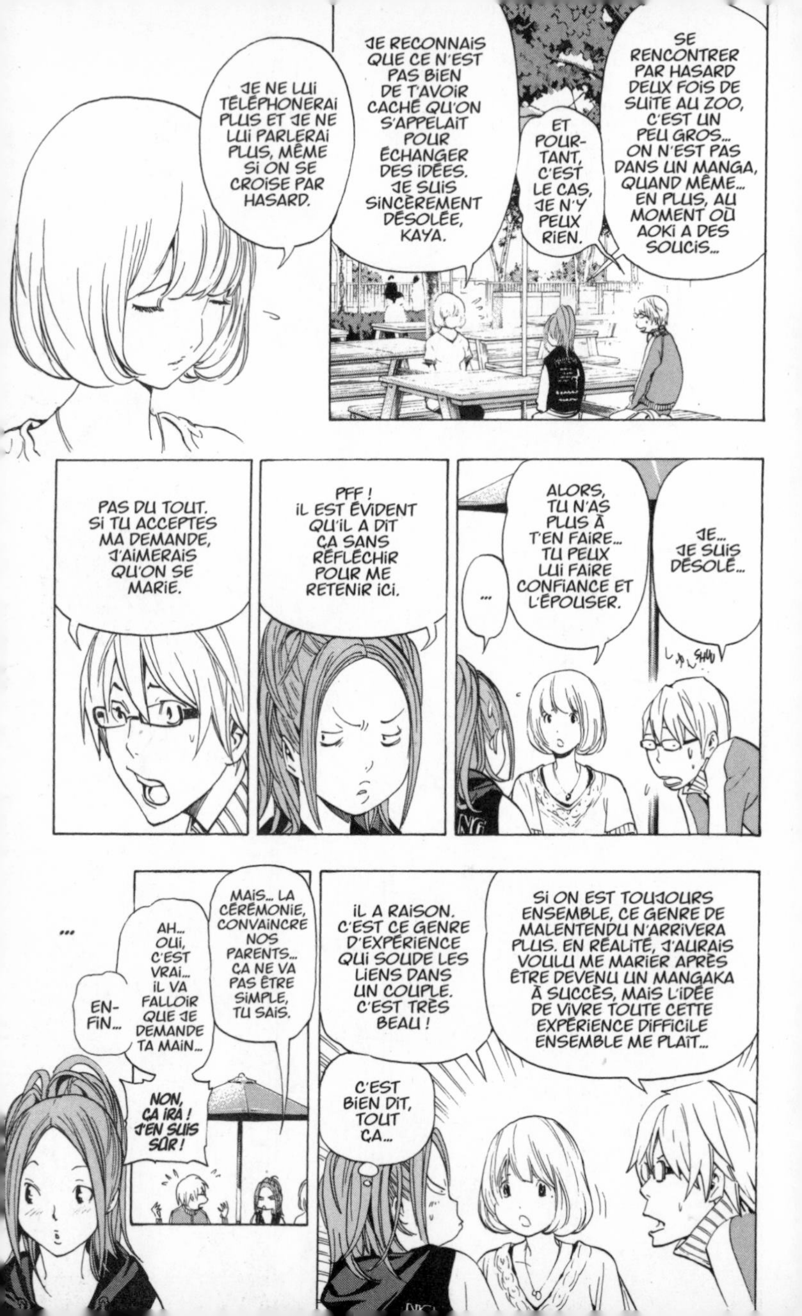
SE RENCONTRER PAR HASARD DEUX FOIS DE SUITE AU ZOO, C'EST UN PEU GROS... ON N'EST PAS DANS UN MANGA, QUAND MÊME... EN PLUS, AU MOMENT OÙ AOKI A DES SOUCIS...
ET POURTANT, C'EST LE CAS, JE N'Y PEUX RIEN.
JE RECONNAIS QUE CE N'EST PAS BIEN DE T'AVOIR CACHÉ QU'ON S'APPELAIT POUR ÉCHANGER DES IDÉES. JE SUIS SINCÈREMENT DÉSOLÉE, KAYA.
JE NE LUI TÉLÉPHONERAI PLUS ET JE NE LUI PARLERAI PLUS, MÊME SI ON SE CROISE PAR HASARD.
JE... JE SUIS DÉSOLÉ...
SHUU
ALORS, TU N'AS PLUS À T'EN FAIRE... TU PEUX LUI FAIRE CONFIANCE ET L'ÉPOUSER.
...
PFF ! IL EST ÉVIDENT QU'IL A DIT ÇA SANS RÉFLÉCHIR POUR ME RETENIR ICI.
PAS DU TOUT. SI TU ACCEPTES MA DEMANDE, J'AIMERAIS QU'ON SE MARIE.
SI ON EST TOUJOURS ENSEMBLE, CE GENRE DE MALENTENDU N'ARRIVERA PLUS. EN RÉALITÉ, J'AURAIS VOULU ME MARIER APRÈS ÊTRE DEVENU UN MANGAKA À SUCCÈS, MAIS L'IDÉE DE VIVRE TOUTE CETTE EXPÉRIENCE DIFFICILE ENSEMBLE ME PLAIT...
IL A RAISON. C'EST CE GENRE D'EXPÉRIENCE QUI SOUDE LES LIENS DANS UN COUPLE. C'EST TRÈS BEAU !
C'EST BIEN DIT, TOUT ÇA...
MAIS... LA CÉRÉMONIE, CONVAINCRE NOS PARENTS... ÇA NE VA PAS ÊTRE SIMPLE, TU SAIS.
AH... OUI, C'EST VRAI... IL VA FALLOIR QUE JE DEMANDE TA MAIN...
NON, ÇA IRA ! J'EN SUIS SÛR !
EN-FIN...
...

C'EST D'ACCORD. SI TU DÉCROCHES UNE NOUVELLE SÉRIE, MARIONS-NOUS !
YEEH !
TOUTES MES FÉLICITATIONS !
MAIS AVOIR UNE NOUVELLE SÉRIE, ÇA VEUT DIRE ÊTRE TRÈS OCCUPÉ. ALORS, ON COMMENCERA PAR LE MARIAGE À LA MAIRIE.
POUR LA CÉRÉMONIE OFFICIELLE, ON VERRA PLUS TARD.
OUI...
C'EST VRAI, OUI. J'ESPÈRE QUE VOUS M'INVITEREZ.

AH... PARDON... JE ME FERAI DISCRÈTE, MAIS JE VEUX QUAND MÊME PARTAGER VOTRE BONHEUR...
JE SAIS QUE J'AI DIT TOUT À L'HEURE QUE JE NE PARLERAIS PLUS À TAKAGI, MAIS...
LE SEUL GARÇON EN QUI TU AS ENCORE CONFIANCE...
... C'EST TAKAGI, N'EST-CE PAS ?
OUI... JE N'AI PAS L'HABITUDE DE ME CONFIER À QUELQU'UN... JE N'AVAIS ENCORE JAMAIS RENCONTRÉ QUELQU'UN AVEC QUI JE M'ENTENDE AUSSI BIEN.

TU RECONNAIS QUE TU T'ENTENDS BIEN AVEC LUI...
PARDON... JE CROIS QUE J'AI FAILLI TOMBER AMOUREUSE DE LUI.
QUOI ?!
POURQUOI AS-TU BESOIN D'AVOUER ÇA ? C'EST LÀ QU'IL FALLAIT DIRE : "JE L'APPRÉCIE EN TANT QUE SCÉNARISTE, ET J'APPRÉCIAIS JUSTE NOS ÉCHANGES D'IDÉES..."
ÇA, C'EST VRAI...
...

TAKAGI COMME M. NAKAI SONT VRAIMENT DES IDIOTS... MOI, C'EST TOI QUE J'AURAIS CHOISIE SANS HÉSITER.
HEIN ? JE PEUX ENCORE CHANGER D'AVIS ?
TAKAGI ! COMMENT OSES-TU DIRE ÇA À CELLE QUE TU VIENS DE DEMANDER EN MARIAGE ?!
EUH... C'EST DE L'HUMOUR, LÀ, TU VOIS...
AH... AH BON ? PARDON...
...
ÉCOUTE, JE VOUDRAIS QUE TU CONTINUES À PARLER À TAKAGI.
HEIN ?
EN ÉCHANGE, JE TE DEMANDERAI D'ÊTRE MON AMIE !
JE... JE SUIS SI CONTENTE... MAIS JE NE VEUX PAS VOUS GÊNER...
PAS DU TOUT !
C'ÉTAIT UN MALENTENDU, ET SI ÇA PEUT ÊTRE BÉNÉFIQUE À LEUR MANGA, ALORS, POURQUOI PAS ? À LUI, JE NE PEUX PAS FAIRE CONFIANCE, MAIS À TOI, SI.
HÉ ! HO ! ÇA VA, HEIN ?!
JE PLAISANTE ! ON VA SE MARIER, ÇA PROUVE QUE JE TE FAIS CONFIANCE.
ON NE SE CONNAIT PAS ENCORE BIEN, MAIS EN DISCUTANT, JE ME RENDS COMPTE QUE JE T'AIME BIEN, ET ÇA ME PLAIRAIT QU'ON DEVIENNE AMIES... ÇA T'EMBÊTE ?
BIEN AU CONTRAIRE, AVEC PLAISIR !

MONSIEUR YOSHIDA, QUE DITES-VOUS DE ÇA ?
CE SONT LES NOUVEAUX NEMUS DE SHIZUKA.
TAC
DE NOUVEAUX NEMUS ? DÉJÀ ?
IL PARAÎT QU'IL A FAIT ÇA EN UNE JOURNÉE. POUR LUI, LES MANGAS, C'EST COMME UN JEU VIDÉO. SON BUT EST TOUJOURS DE TERMINER LE PLUS VITE POSSIBLE.

...
EH BEN... IL SOUS-ESTIME UN PEU LES MANGAS, LUI...
HEIN ? IL A REPRIS L'HISTOIRE DE "TRUE HUMAN" ?
LE TITRE, OUI. LISEZ PLUTÔT. VOUS VERREZ QUE C'EST ENCORE PLUS "SHÔNEN" QU'AVANT.
C'EST VRAI QU'IL Y AVAIT DÉJÀ UNE ÉVOLUTION ENTRE "SHAPON" ET "TRUE HUMAN"... LÀ ENCORE, ÇA SE RESSENT...
OBJECTIVEMENT, AVEC CETTE VERSION, IL PEUT PRÉTENDRE À UNE SÉRIE...

* TITRE : TRUE HUMAN / RYÛ SHIZUKA.

SI ON EXPLIQUE TOUT À AZUKI, ELLE COMPRENDRA, NON ?
...
MIHO ET MASHIRO SE PARTAGENT LES TORTS, MAIS...
?
... OUI ! JE PENSE QU'ELLE COMPRENDRA.
上野動物
ゴリラを救おう!

VOUS VOUS MARIEZ ?
OUI !
EH OUAIS...
C'EST SI ROMAN-TIQUE !

HAA... J'AI CACHÉ À AZUKI QUE SHUJIN VOYAIT AOKI... SI LES EXCUSES NE VIENNENT PAS DE MOI, NOTRE HISTOIRE VA PRENDRE FIN... D'UN AUTRE CÔTÉ, POURQUOI NE PEUT-ELLE PAS ME FAIRE DAVANTAGE CONFIANCE...?
KOF !
KOF !
HAA...
SHAT
ZUT... IMPOSSIBLE DE ME CONCENTRER SUR MES EXERCICES DE DESSIN... JE DEVRAIS PEUT-ÊTRE RENTRER À LA MAISON, MOI AUSSI...
SHAT
SHAT SHAT

UN MAIL !
♪

AZUKI !!
SI C'ÉTAIT UN MAIL D'ADIEU ?! J'AURAIS DÛ AGIR PLUS VITE...

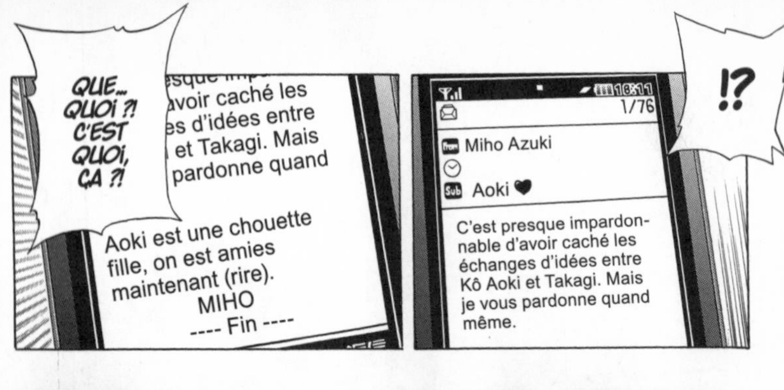
!?
Miho Azuki
Aoki ❤
C'est presque impardon-nable d'avoir caché les échanges d'idées entre Kô Aoki et Takagi. Mais je vous pardonne quand même.
QUE... QUOI ?! C'EST QUOI, ÇA ?!
Aoki est une chouette fille, on est amies maintenant (rire).
MIHO
---- Fin ----

BIP !
BIP !
BIP !
Miho Azuki
Aoki ❤
16Byte
? ? Y a un truc qui m'échappe…
Sélectionner
Répondre

HA HA HA
HACHIÔJI
HEURES D'OUVERTURE ET DE FERMETURE
LES GENS DOIVENT SE DEMANDER QUI TU ES, TAKAGI... ACCOMPAGNÉ COMME ÇA PAR TROIS JOLIES FILLES...
QUI EST LA TROISIÈME, AZUKI ?
MIHO, IL SE FICHE DE TOI, LÀ.
AH !
♫
C'EST LA RÉPONSE DE MASHIRO ?!
QUE DIT-IL ?

"Y A UN TRUC QUI M'ÉCHAPPE..."
JE VAIS LUI RÉPONDRE QU'ON BOIT UN VERRE TOUS LES QUATRE EN CE MOMENT.
HA ! HA !
TOUS LES QUATRE ?!
AH... SHÛJIN AUSSI...
DIS-LUI QUE JE RENTRE CHEZ MOI...
BIP ! BIP ! BIP ! BIP !
YO ! SAIKÔ !
"YO" ?! SYMPA DE ME TENIR À L'ÉCART !!
AH, DÉSOLÉ ! MAIS TU N'ES PAS CENSÉ VOIR AZUKI AVANT D'AVOIR RÉALISÉ TON RÊVE, ALORS...
EN TOUT CAS, VOUS POUVEZ REPRENDRE VOTRE CORRES-PONDANCE PAR MAILS !
AH... MERCI !
OUI, TU PEUX ME REMERCIER, EN EFFET ! PARCE QU'À CAUSE DE VOUS JE VAIS DEVOIR ME MARIER BIENTÔT AVEC MIYOSHI.
TE... TE MARIER ?!
OUI.
TU ES OBLIGÉ DE TE MARIER ? EXPLIQUE-MOI...
OH ! TAKAGI ! TU DIS ÇA DEVANT CELLE QUE TU AS DEMANDÉE EN MARIAGE ...
HÉ ! JE PARLE AVEC SAIKÔ... TU PERMETS ?
SAIKÔ ! C'EST TRÈS SÉRIEUX, MIYOSHI ET MOI, ON VA SE MARIER.
BEN ÇA... C'EST D'ENFER !
SHÛJIN !! JE TE PROMETS QU'ON AURA NOTRE SÉRIE ET QU'ELLE FERA UN CARTON !!
J'Y COMPTE BIEN !! ET ON AURA AUSSI UN DESSIN ANIMÉ POUR QU'AZUKI ET TOI VOUS PUISSIEZ VOUS MARIER AUSSI !!
TAC

LES NEMUS D'OHBA

LES NEMUS D'OBATA

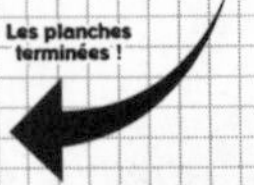
Les planches terminées !

BAKUMAN - VOL. 8
Du découpage à la planche finie
Épisode 66 - pages 98-99

Page 67
Culottes entraperçues et messie

VOUS VOUS ÊTES DISPUTÉE AVEC M. NAKAI ?!
OUI, JE SUIS VRAIMENT DÉSOLÉE.
IL VOUS A DIT QU'IL ÉTAIT PRÊT À TRAVAILLER AVEC VOUS SI VOUS SORTIEZ AVEC LUI ? SINON, IL SORTIRAIT AVEC L'ASSISTANTE DE L'ATELIER OÙ IL TRAVAILLE EN CE MOMENT...?
EH BEN... NAKAI EST UN BEAU SALAUD ...
BON ! JE VOIS... JE VAIS LE CONVAINCRE DE S'EN TENIR AVEC VOUS À UNE RELATION EXCLUSIVEMENT PROFESSIONNELLE...
QUOI ?!
VOUS L'AVEZ GIFLÉ ?! C'EST IRRÉPARABLE...?
ELLE SE DÉFEND, AOKI...
HAA... QUE FAIRE ?
LA PERSONNE DOUÉE POUR LES DESSINS ÉROTIQUES QUE JE VOULAIS VOUS PRÉSENTER A ÉTÉ PRISE PAR UN MAGAZINE SEINEN*...
...
C'EST EMBÊTANT... IL NE MANQUE QUE DE BONNES POSES ET DE BONS ANGLES POUR MONTRER LES SOUS-VÊTEMENTS... JE VAIS CONTINUER À CHERCHER QUELQU'UN...
MOI, CETTE SITUATION M'ARRANGE... LES CULOTTES QU'ON ENTRAPERÇOIT, C'EST DÉJÀ UNE MARQUE DE FABRIQUE DE "KIYOSHI" ALORS...

* SEINEN : GENRE DE MANGA PLUS ADULTE QUE LE MANGA SHÔNEN POUR ADOLESCENTS.

LE LENDEMAIN...
VOUS ALLEZ VRAIMENT VOUS MARIER SI ON DÉCROCHE UNE SÉRIE ?
CRIT
CRIT
OUI. AVEC CE QUI S'EST PASSÉ, J'AI VRAIMENT PRIS CONSCIENCE QUE J'AIMAIS MIYOSHI ET QUE JE VOULAIS ÊTRE AVEC ELLE.
TU SAIS QU'ON N'A AUCUNE GARANTIE QUE LA SÉRIE DURE... SANS ALLER JUSQU'À ATTENDRE L'ADAPTATION EN DESSIN ANIMÉ, VOUS DEVRIEZ PEUT-ÊTRE ATTENDRE AU MOINS QUE LA SÉRIE SOIT BIEN INSTALLÉE, NON ?
POUR ÊTRE HONNÊTE, JE ME SUIS SENTI ATTIRÉ PAR AOKI ET JE NE VEUX PAS QUE CE GENRE DE CHOSES M'ARRIVE. ALORS, JE VEUX EN FINIR AVEC CETTE SITUATION...
OUI, MAIS TU N'AS ENCORE QUE 18 ANS ...
ARRÊTONS DE PARLER DE ÇA, ELLES VONT ARRIVER. LE MÉNAGE EST TERMINÉ, HEIN ?
OUI. CE N'ÉTAIT PAS LA PEINE DE VENIR EXPRÈS ICI, MAIS...
DING DONG
LES VOILÀ.
BONJOUR, MASHIRO. ÇA FAIT LONGTEMPS QU'ON NE S'EST PLUS VUS.
BONJOUR. OUI, C'EST VRAI.

HIER, TU AS PRÉSENTÉ TES EXCUSES À MIHO, ET AUJOURD'HUI, C'EST AU TOUR DE MASHIRO ET DE TAKAGI. TU ES DÉCIDÉMENT TRÈS SÉRIEUSE.
OUI, TROP SÉRIEUSE.
NON, JE TROUVE ÇA NORMAL. EN ÉCHANGEANT DES POINTS DE VUE AVEC TAKAGI, J'AI CRÉÉ DES ENNUIS À TOUT LE MONDE.
OUI, JUSTEMENT, C'EST ÇA QU'ON APPELLE ÊTRE SÉRIEUX.

TAKAGI M'A TOUT EXPLIQUÉ, MAIS C'EST EMBÊTANT SI M. NAKAI NE DESSINE PAS POUR TOI, N'EST-CE PAS ?
PARCE QUE TU IMAGINES QU'ELLE POURRAIT RETRAVAILLER AVEC QUELQU'UN QUI POSE CE GENRE DE CONDITIONS ?
C'EST JUSTE, MAIS JE NE PEUX PLUS REVOIR M. NAKAI...
MAIS TU ES AMOUREUSE DE LUI, N'EST-CE PAS ?
SHUJIN !
MAIS... PAS DU TOUT !

TU ES TOUTE ROUGE...
...
EN FAIT, JE NE LE SAIS PAS MOI-MÊME. NÉANMOINS, JE PENSE QUE CE N'EST PAS DE L'AMOUR.
EN TOUT CAS, ON NE TRAVAILLERA PLUS ENSEMBLE. MON RESPONSABLE ÉDITORIAL M'A DIT QUE JE DEVAIS ÉTUDIER LE TYPE DE DESSIN QUI PLAÎT AUX GARÇONS, OU ALORS TROUVER QUELQU'UN D'HABILE DANS CE DOMAINE POUR M'AIDER...
CEPENDANT, TROUVER QUELQU'UN QUI ACCEPTE JUSTE D'AIDER...

À PROPOS, DANS "KIYOSHI", ON ENTRAPERÇOIT PLUS DE CULOTTES QU'AVANT... TU CROIS QUE FUKUDA FAIT ÇA À CAUSE DU MANGA D'AOKI ?
C'EST VRAI QU'IL EST BON DANS CE DOMAINE. AOKI POURRAIT S'EN INSPIRER.
JE N'AI PAS ENVIE QU'ON PENSE QUE JE M'INSPIRE DE FUKUDA ! ÇA, JAMAIS !
!
AH !
ISHI-ZAWA !!
IL EST DANS LA MÊME FAC QUE NOUS...
LUI ?! TU PLAISANTES ?!
TATATATATA
BEN NON, POURQUOI ?
PAS LUI !!
C'EST VRAI QU'IL DESSINE BIEN CE GENRE DE CHOSES, MAIS NON, PAS LUI !!
SI MASHIRO DIT CELA, C'EST QU'IL DOIT VRAIMENT BIEN DESSINER.
IL A UNE SÉRIE DANS UN MAGAZINE MENSUEL, TROIS PAGES PAR MOIS. JE PENSE QU'IL POURRAIT T'AIDER.
C'EST UN PROFESSIONNEL ? ÇA NE VA PAS L'INTÉRESSER...
NE T'EN FAIS PAS. JE SUIS SÛRE QU'ÊTRE TON ASSISTANT LUI PLAIRA.
AH BON ? POURQUOI ?
PARCE QUE TU ES TRÈS JOLIE...
MAIS ENFIN...

MIYOSHI !! QUI T'A DEMANDE DE DIRE ÇA ?! ISHIZAWA, C'EST NON !!
N'IMPORTE QUI, MAIS PAS LUI !
DITES DONC, VOUS DEUX... L'ASSOCIATION AOKI-ISHIZAWA NE VOUS FERAIT-ELLE PAS UN PEU PEUR ?
PAS DU TOUT, ET PUIS CE N'EST PAS LE PROBLÈME ! AOKI A UNE PETITE CRISE DE CONFIANCE À L'ÉGARD DES HOMMES, ET AVEC ISHIZAWA, ÇA N'ARRANGERA RIEN !
UNE CRISE DE CONFIANCE À L'ÉGARD DES HOMMES...
J'AIMERAIS BIEN LE RENCONTRER AU MOINS UNE FOIS.
HEIN ?!
IL EST DANS LA MÊME UNIVERSITÉ QUE VOUS, N'EST-CE PAS ?
OUI, MAIS ON NE LE VOIT JAMAIS ET ON NE SAIT PAS COMMENT LE JOINDRE...
DANS NOTRE ALBUM DE FIN DE COLLÈGE, IL DOIT Y AVOIR LE NUMÉRO DE TÉLÉPHONE DE SES PARENTS...
ON N'A PAS ENVIE DE LUI PARLER.
DANS CE CAS, JE PEUX L'APPELER, MOI ?
MIYOSHI ! POURQUOI INSISTES-TU AUTANT AVEC ISHIZAWA ?!
AOKI EST EMBÊTÉE...
ISHIZAWA N'EST PLUS UN GAMIN. IL DOIT POUVOIR ACCEPTER UN TRAVAIL NORMALEMENT, NON ?
HUM...
O.K., MAIS JE VEUX ÊTRE PRÉSENT.
ET POURQUOI DONC ?
AOKI SEULE, C'EST TROP DANGEREUX.
"DANGEREUX" ? QUOI DONC ?
DANGEREUX POUR SA VIE...
QU'EST-CE QUE TU RACONTES ?

C'EST TRÈS BIEN ! AVEC CE CHAPITRE, LA SEMAINE PROCHAINE, NUL DOUTE QU'ON RESTERA DANS LA ZONE DE SÉCURITÉ.
TAC
FUKUDA
PFF... IL N'Y A QUE LORSQUE JE LAISSE ENTRAPERCEVOIR DES CULOTTES QUE JE RÉCOLTE DES VOTES...

BON, MERCI POUR LES PLANCHES ! AU REVOIR !
AU FAIT, L'AKAMARU, QU'EST-CE QUE ÇA A DONNÉ ?
CLAC
N° 1 : ASHIROGI.
WAOUH ! BIEN JOUÉ !
ET KÔ AOKI ?

À PEINE 3e, DONC, PAS DE SOUCI.
ET MÊME SI ELLE FAIT UNE SÉRIE, EN MATIÈRE DE CULOTTES, TU LA SURCLASSES DE PLUSIEURS NIVEAUX. LE CADRE DE VOS HISTOIRES EST IDENTIQUE, MAIS UN FOSSÉ VOUS SÉPARE.
VOUS VOULEZ DIRE QUE SES CULOTTES PASSENT INAPERÇUES, HEIN ?
DU COUP, ON AVAIT ENVISAGÉ DE LA FAIRE RETRAVAILLER AVEC NAKAI SUR UNE HISTOIRE COURTE POUR LE JUMP CLASSIQUE, MAIS ELLE ET LUI SE SONT DISPUTÉS, ET C'EST TOMBÉ À L'EAU.
ILS SE SONT DISPUTÉS ?
OUI. NAKAI ÉTAIT D'ACCORD À CONDITION QU'ELLE SORTE AVEC LUI... DU COUP, ELLE L'A GIFLÉ...
HA ! HA ! HA !

ALLEZ, AU REVOIR.
VLAM
NAKAI... QU'EST-CE QUI LUI A PRIS ?
BEN QUOI ? IL VOULAIT SORTIR AVEC ELLE, C'EST TOUT.
JE NE PARLE PAS DE ÇA.
UNE HISTOIRE COMPLÈTE DANS LE JUMP, C'EST UNE CHANCE INESPÉRÉE ! PRINCESSE AOKI S'EST VEXÉE, MAIS AVEC DES EXCUSES SINCÈRES DE LA PART DE NAKAI, ÇA SE SERAIT ARRANGÉ.
MONSIEUR YŪJIRŌ A L'AIR CONFIANT. SI JAMAIS IL Y A UN AUTRE MANGA QUI JOUE SUR LES CULOTTES, C'EST MAUVAIS POUR "KIYOSHI", NON ?

ALLEZ, RENTRE CHEZ TOI.
QUI VOUS APPELEZ ?
NAKAI.
BIP ! BIP !
ENCORE FUKUDA ?
ENCORE POUR M'ENGUEULER...
GRRR
BIP !

TÛÛÛT
VOTRE CORRESPONDANT N'EST PAS DISPONI...
IL M'A FAIT PASSER SUR LE RÉPONDEUR !!
À CETTE HEURE-CI, JE SAIS QU'IL EST CHEZ TAKAHAMA. JE VAIS ALLER LUI BOTTER LE CUL !
JE VOUS ACCOMPAGNE !
JE T'AI DIT DE RENTRER CHEZ TOI !
O.K...

ISHIZAWA
TAKAGI... QU'EST-CE QUE TU ME VEUX ?
DU CALME, ET ÉCOUTE-MOI...
AH... OUI, ÇA PEUT M'INTÉRESSER.
O.K. ALORS, RENDEZ-VOUS AU RESTO FAMILIAL DE MINAMI-YAKUSA DANS 30 MINUTES.
ÇA MARCHE.
PFF... IL A L'AIR PARTANT À FOND...
UNE AUTEURE DU JUMP, OUI, JE SUIS PRÊT.
EN PLUS, EN TANT QU'AUTEUR DE GAG MANGAS, IL M'A MÊME DONNÉ SON AVIS SUR "TANTO"...
PARCE QUE SA SÉRIE, C'EST UN GAG MANGA ?!
BON, AOKI, ON Y VA ? QUAND TU EN AS ASSEZ, TU ME FAIS SIGNE, ET ON QUITTE LE RESTO.
OUI.
POURQUOI TU CHERCHES À N'EMMENER QU'ELLE ?! JE VIENS, MOI AUSSI !
HEIN ?!
MÊME SI C'EST DANS LE CADRE DU TRAVAIL, TOI, TE LAISSER SEUL AVEC AOKI, JE REFUSE.
AH... BON ! DANS CE CAS, TU T'ASSIÉRAS À L'ÉCART. EN CAS DE PROBLÈME, JE COMPTE SUR TOI.
TU ME PRENDS POUR UN AGENT DE SÉCURITÉ OU QUOI ?!

VROOOO
ZUT... J'IGNORE OÙ SE TROUVE L'ATELIER DE TAKAHAMA CHEZ QUI TRAVAILLE NAKAI...
Harley-David
QUAND MÊME... ISHIZAWA... J'ESPÈRE QUE ÇA IRA... J'AURAIS DÛ Y ALLER AUSSI... MAIS JE N'AI PAS ENVIE DE LE VOIR...
MASHIRO ! TAKAHAMA, C'EST UN DE VOS ANCIENS ASSIS-TANTS, HEIN ?
OUI.
TU SAIS OÙ SE TROUVE SON ATELIER ?
EN FAIT, IL TRAVAILLE CHEZ LUI, ENFIN CHEZ SES PARENTS...
TU PEUX ME DONNER SON ADRESSE ?
OUI, MAIS POUR-QUOI ?
AH...
JE VOUDRAIS RAISONNER NAKAI POUR QU'IL SE RÉCONCILIE AVEC AOKI.
DOM DOM
DOM DOM

ファミレス*
in
南谷草店
24時間営業
* RESTAURANT FAMILIAL OUVERT 24H/24 MINAMI-YAKUSA.
ET C'EST POUR ÇA QUE VOUS AVEZ PENSÉ À MOI ? JE SERAI DONC LE MESSIE, LE PRINCE SUR SON CHEVAL BLANC QUI VA VOLER AU SECOURS DE KÔ AOKI, AUTEURE DU JUMP...
HA ! HA !
NON, AOKI... CE N'EST PAS DE L'HUMOUR.
HUM... POUR UN PROFESSIONNEL COMME MOI, LE FAIT D'ÊTRE ASSISTANT EST GÊNANT...
TAC !
IL S'AGIT SIMPLEMENT DE L'ASSISTER DANS LA MISE EN SCÈNE DES FILLES, DE FAÇON À CE QUE ÇA PLAISE AUX GARÇONS...
EN GROS, JE SERAI "MONSIEUR ÉROS", HEIN ?
GLOUP
EUH... OUI...
O.K.
MAIS IL FAUDRA SUIVRE TOUTES MES DIRECTIVES SUR CES PARTIES-LÀ.
CROM
CROM
CROM CROM
AOKI EST JEUNE, ELLE A UN BEAU CORPS, CE SERA FACILE.
CROM
POUR COMMENCER, IL FAUDRA QUE VOUS FASSIEZ DES PHOTOS ET DES FILMS DE VOUS-MÊME EN PRENANT DES POSES SUGGESTIVES.
CROM
JE SUPPOSE QUE VOUS AVEZ DÉJÀ FAIT ÇA. JE PEUX VOUS DIRE QUE MOI, J'ÉTUDIE BEAUCOUP GRÂCE AUX MAGAZINES ET AUX VIDÉOS ÉROTIQUES. C'EST LA BASE. ENSUITE, JE VOUS EXPLIQUERAI COMMENT PERFECTIONNER ÇA ET PRENDRE DES POSES ENCORE PLUS SEXY.
!
...
ISHIZAWA... TU NE DIS PAS ÇA SÉRIEUSEMENT, LÀ, HEIN ?

BIEN SÛR QUE SI ! C'EST LA MEILLEURE MÉTHODE, JE N'Y PEUX RIEN !
MÊME SI C'EST LE CAS, TU OUBLIES QUE TU PARLES À UNE FILLE...
BEN QUOI ? TU IMAGINES QU'ELLE VA COMPRENDRE CE QUE JE DIS SI JE SOIGNE LA FORME ? PFF !
WAAH... LE TON MONTE DÉJÀ... ISHIZAWA, C'EST NON... IL EST VRAIMENT TROP NUL...
SAT
SAT
SAT
JE SENS QUE JE VAIS DEVOIR INTERVENIR RAPIDEMENT...
MENU
Écarte tes jambes un peu plus comme ça...
AUTREMENT DIT, LA MEILLEURE POSE...
... LA MEILLEURE MISE EN SCÈNE, ÇA S'APPREND AVEC SON PROPRE CORPS.
JE VOUS APPRENDRAI ÇA EN DÉTAIL.
DIS DONC, DE QUOI PARLE-T-IL EN PLEINE JOURNÉE ?
CETTE FILLE, ELLE AURA DU SUCCÈS DANS CE MILIEU...
POUR MONTRER DES CULOTTES, LE PLUS SIMPLE, C'EST D'UTILISER SES PROPRES PHOTOS... ÇA ÉVITE TOUT PROBLÈME DE DROITS D'EXPLOITATION D'IMAGES.
ENSUITE, LA DIFFICULTÉ, C'EST DE DÉTERMINER L'INSTANT PARFAIT À GARDER...
C'EST LÀ QUE J'INTERVIENS, AVEC MON EXPÉRIENCE...
MIAM
MIAM
SÉRIEUX, EN PLUS... QUEL NUL... ÇA VA ACCENTUER LA CRISE DE CONFIANCE D'AOKI...

ピンポーン
DING DONG
BONJOUR, JE M'APPELLE FUKUDA, JE DESSINE UNE SÉRIE DANS LE JUMP.
BONJOUR, JE...
NAKAI EST LÀ ?
TAP TAP
IL EST AU PREMIER, DANS LE BUREAU DE TRAVAIL, MAIS...
MERCI DE ME RECE-VOIR !
TAP TAP

VLAM
NAKAI !
AH... FUKUDA...

TU FICHES EN L'AIR TOI-MÊME UNE OCCASION D'AVOIR UNE HISTOIRE DANS LE JUMP ?! À QUOI TU JOUES ?!
DIS DONC, TU TE MÊLES UN PEU TROP DES AFFAIRES DES AUTRES !

J'AI CHOISI KATÔ, ET PAS AOKI.
C'EST TOUT !
? ... ?

VLAM
OUTCH !!
VLAM
KYAAH !!
TU PEUX CHOISIR LA FILLE QUE TU VEUX, ÇA NE JUSTIFIE PAS TA PRÉSENCE ICI !!
QU'EST-CE QUI TE PREND ?!
BAM
LORSQU'ON A EU NOS SÉRIES ENSEMBLE, C'EST BIEN TOI QUI M'AS DIT QUE TU AVAIS BIEN FAIT DE NE PAS RENONCER, NON ?!
ET MOI, J'ÉTAIS CONTENT QU'ON SOIT PUBLIÉS ENSEMBLE, CONTENT QU'ON SE TIRE LA BOURRE !!
JE NE T'EMPÊCHE PAS D'ÊTRE AMOUREUX ! MAIS JE NE COMPRENDS PAS POURQUOI TU NE VISES PLUS UNE SÉRIE DANS LE JUMP ! TU AS ABANDONNÉ CETTE IDÉE ?
ABANDONNÉ L'IDÉE DE ME BATTRE ?
ICI... JE ME SENS BIEN...
TU TE SENS BIEN ?!

JE VIENS ICI, JE PEUX DISCUTER AVEC KATÔ, JE SUIS HEUREUX COMME ÇA.
...
HEIN ?
VOUS AUTRES, VOUS NE POUVEZ PAS COM-PRENDRE !

DOM
NE JAMAIS AVOIR EU LE MOINDRE SUCCÈS AUPRÈS DES FILLES EN 35 ANS D'EXISTENCE, TU IMAGINES CE QUE ÇA PEUT ÊTRE ?!

NON !! ALORS, NE VIENS PAS TE MÊLER DE MES HISTOIRES D'AMOUR !

TU N'ES DONC PAS ICI POUR TRAVAILLER, MAIS POUR DRAGUER...
J'IMAGINE QUE TON DESSIN N'A PAS DÛ BEAUCOUP S'AMÉLIORER !
PARDON POUR LE DÉRANGE-MENT...
...
...
HÂÂ...
HÂÂ...

ET MERDE... C'EST FICHU POUR NAKAI...
QUE VA POUVOIR FAIRE AOKI ?
Harley-Davidson

BIP !
BIP !

YUJIRÔ ! DONNEZ-MOI LE NUMÉRO DE TÉLÉPHONE DE KÔ AOKI.
DÉSOLÉ, MAIS, MÊME SI VOUS ÊTES DES MANGAKAS TOUS LES DEUX, ÇA, JE NE PEUX PAS FAIRE. D'AUTANT PLUS QUE C'EST UNE FILLE... À MOINS QUE TU N'AIES UNE RAISON PARTICULIÈRE...
JE N'EN AI PAS, NON... C'EST QUOI, CES RÈGLES À LA NOIX ?
BON ! SON RESPONSABLE EST LÀ ? POSEZ-LUI LA QUESTION.
IL EST LÀ, MAIS À MOINS QUE TU N'AIES UNE RAISON PARTICULIÈRE...
JE VIENS DE VOUS DIRE QUE J'EN AVAIS PAS ! PASSEZ-LE-MOI...
集英社

FUKUDA-SENSEI... JE SUIS DÉSOLÉ, JE NE PEUX PAS VOUS DONNER SON NUMÉRO, SURTOUT QU'ELLE SERA PROBABLEMENT VOTRE RIVALE TRÈS PROCHAINEMENT...
...
C'EST JUSTEMENT POUR ÇA QUE JE M'INTÉRESSE À ELLE !! BON ! VOUS AVEZ TROUVÉ QUELQU'UN POUR L'AIDER À DESSINER DES CULOTTES QU'ON ENTRAPERÇOIT ?!
NON... CE N'EST PAS FACILE...
ET D'ABORD, POURQUOI DEVRAIS-JE PARLER DE ÇA AVEC VOUS ?
ET QU'EST-CE QUE VOUS CHERCHEZ À FAIRE EN RÉALITÉ ?

CLIC !
CLAP

CE N'EST PAS FAUX... QU'EST-CE QUE JE RECHERCHE ?

QU'EST-CE QUE JE VEUX FAIRE ?

JE SAIS OÙ HABITE PRINCESSE AOKI, MAIS RIEN NE GARANTIT QU'ELLE SOIT CHEZ ELLE...

!
BIP !
BIP !
LUI, IL DOIT SAVOIR !

HIRAMARU, C'EST MOI, FUKUDA. DONNEZ-MOI LE NUMÉRO DE TÉLÉPHONE DE KÔ AOKI.
KÔ AOKI ?!

JE... JE SUIS DÉSOLÉ, C'EST LE SEUL QUE JE N'AI PAS. J'AI CEUX D'UNE CINQUANTAINE D'AUTRES AUTEURS, MAIS PAS CELUI D'AOKI...
ET JE MEURS D'ENVIE DE L'AVOIR !!

POURQUOI FAUT-IL QUE CE SOIT LE SEUL QUI VOUS MANQUE ? ON NE PEUT PAS COMPTER SUR VOUS !
EN RÉALITÉ... JE SUIS INCAPABLE DE DEMANDER LE NUMÉRO DES GENS QUI M'INTÉRESSENT VRAIMENT... VOUS SAVEZ, AOKI, C'EST VRAIMENT MON TYPE DE FEMMES.
MAIS AU FAIT, POURQUOI VOULEZ-VOUS CE NUMÉRO ?
SI VOUS NE L'AVEZ PAS, TANT PIS. SALUT !
MAIS... ATTENDEZ !!

POURQUOI VOULEZ-VOUS SON NUMÉRO ?
VOUS N'ALLEZ QUAND MÊME PAS LUI FAIRE UNE DÉCLARATION D'AMOUR ?
ON VA DIRE QUE C'EST PAS LOIN DE ÇA. D'OÙ LA NÉCESSITÉ D'AVOIR SON NUMÉRO.
TAC
ATTENDEZ ! VOUS N'AVEZ PAS LE DROIT ! JE VEUX AVOIR MA CHANCE AUSSI ! LAISSEZ-MOI ME DÉCLARER EN MÊME TEMPS QUE VOUS !
GRRRR
JE PLAISANTE ! JE VEUX EFFECTIVEMENT AVOIR SON NUMÉRO, MAIS PAS POUR CETTE RAISON-LÀ... ET COMME PERSONNE AU JUMP NE VEUT ME LE DONNER...

PAS LE CHOIX... JE VAIS TENTER LE COUP CHEZ ELLE.
VOUS SAVEZ OÙ ELLE HABITE ?! J'Y VAIS AUSSI. AVEC MA PORSCHE. OÙ ÊTES-VOUS ACTUELLEMENT ?
HIRAMARU, VOYONS, ÇA NE VOUS CONCERNE PAS.
BIEN SÛR QUE SI ! JE FAIS PARTIE DU CLAN FUKUDA ! N'EST-CE PAS ? À MOINS QUE JE N'EN FASSE PARTIE SEULEMENT LORSQUE ÇA VOUS ARRANGE ? DANS CE CAS, VOUS SERIEZ UN BEAU SALAUD...
LE CLAN FUKUDA...

SI AOKI VEUT FAIRE LE MODÈLE, MOI, JE PEUX FAIRE LES CROQUIS DE NU.
ON OBTIENDRA UN MAGNIFIQUE MANGA.
TAC
AOKI, ON S'EN VA.
OUI.
BEN QUOI ? TAKAGI, C'EST TOI QUI ES VENU ME CHERCHER, NON ? C'EST TOI QUI VOULAIS MON AIDE, NON ?
OUI, MAIS J'AVAIS PRÉCISÉ QUE ÇA DÉPENDAIT AUSSI DE TON COMPORTEMENT.
UN REÇU, S'IL VOUS PLAÎT.
OUI ! ET MOI, JE TE DIS QUE JE SUIS D'ACCORD !
AVEC AOKI COMME MODÈLE, JE VAIS FAIRE DE SUPER-DESSINS !
PAS NÉCESSAIREMENT DE NU !
EN MAILLOT, ÇA SUFFIRA !
LA FERME, GRINGO !
LE MANGA D'AOKI N'A PAS BESOIN D'UN TEL ÉROTISME !
DODODODODO
VLAM
!?
!!

DODO DODO
C'EST MOI QUI VAIS LUI APPRENDRE COMMENT DESSINER DES CULOTTES QU'ON ENTRAPER-ÇOIT !
!
FUKUDA... QUE FAIS-TU LÀ ?
SON
J'AI FINI PAR RAPPELER MASHIRO...
TU VAS LUI APPRENDRE...? ET TA SÉRIE ?
T'OCCUPE ! S'IL LE FAUT, JE FERAI ÇA EN DESSINANT MES PLANCHES, PAR TÉLÉPHONE. ON PEUT S'ENVOYER DES DESSINS PAR FAX... ET JE PEUX TE DIRE QUE JE SERAI BIEN MEILLEUR ET PLUS SÉVÈRE QU'UN SIMPLE RESPONSABLE ÉDITO !

TU VAS AIDER AOKI ?
OUI. ET COMME JE N'AI PAS ENVIE DE FAIRE ÇA EN DOUCE, JE VOUS AI DEMANDÉ DE VENIR POUR VOUS LE DIRE.
CRAT !
CRAT !
CRAT !
CONCRÈTEMENT, TU VAS FAIRE COMMENT ?
JE VAIS SURTOUT REGARDER SES DESSINS DE CULOTTES, MAIS JE VAIS AUSSI VÉRIFIER LES NEMUS QU'ELLE M'ENVERRA PAR FAX.
ATTENDS ! C'EST LE TRAVAIL DE L'ÉDITEUR, ÇA !
IL ARRIVE QUE LES MANGAKAS SOIENT MIEUX PLACÉS QUE LES ÉDITEURS.
ET TU CROIS AVOIR LE TEMPS POUR FAIRE ÇA ? ET "KIYOSHI" ?
PAF
ÉCOUTEZ !!
LA POPULARITÉ DE "KIYOSHI" NE CHUTERA PAS ! JE VOUS LE GARANTIS ! SI ELLE CHUTE, C'EST QU'IL Y A UN PROBLÈME !
PARCE QUE JE VAIS TOUT FAIRE POUR QUE LE MANGA CAPTIVE ENCORE PLUS DE MONDE !
ÇA VOUS VA ?
VLAM
ET JE VOUS LE DIS TOUT DE SUITE POUR QUE CE SOIT CLAIR : JE NE RESSENS AUCUN SENTIMENT AMOUREUX POUR AOKI !
POUR ÊTRE HONNÊTE, J'AI TOUJOURS DÉTESTÉ CETTE FILLE !
RECONNAIS QUE C'EST UN PEU DIFFICILE À CROIRE VU CE QUE TU FAIS...
OÙ VAS-TU ?
AUX TOILETTES.

Page 68
Toilettes et bain
QUOI ?! TU EN AS PARLÉ À TES PARENTS ?!
TU LEUR AS DIT QU'ON VOULAIT SE MARIER !?
NON, JE N'AI PAS PARLÉ DU MARIAGE, MAIS...
... JE LEUR AI DIT QUE LE 20 OCTOBRE JE VIENDRAIS PEUT-ÊTRE À LA MAISON AVEC MON COPAIN...
LA PROCHAINE RÉUNION ÉDITORIALE, C'EST LE 19, N'EST-CE PAS ? ON S'EST PROMIS D'ALLER SE MARIER À LA MAIRIE SI VOUS AVIEZ UNE NOUVELLE SÉRIE, ALORS...
AUTREMENT DIT, LE LENDEMAIN DE LA RÉUNION, JE VAIS ALLER DEMANDER TA MAIN À TES PARENTS, C'EST ÇA ?
OUI ! C'EST BIEN CE QUI ÉTAIT PRÉVU, NON ? TU VEUX DIRE QUE TU AS MENTI...?
NON, JE N'AI PAS MENTI...
IL NE RESTE PLUS QU'UN MOIS AVANT CETTE RÉUNION. ALORS, DONNE-TOI À FOND JUSQUE-LÀ !
TAP
どさ
AH... OUI...
TU VAS VRAIMENT Y ALLER...?
IL N'Y A PAS QUE NOTRE SÉRIE QUI VA SE JOUER LORS DE CETTE RÉUNION... IL Y A AUSSI MON MARIAGE...
ON EST TOUS CONCERNÉS...

LES NEMUS D'OHBA

LES NEMUS D'OBATA

Les planches terminées !

BAKUMAN - VOL.8
Du découpage à la planche finie
Épisode 67 - pages 126-127

...
FUKUDA...
POUR TOI, C'EST UNE HUMILIATION D'ÊTRE MON ÉLÈVE... OUI, JE SUPPOSE...
S'IL VOUS PLAIT !
SLAT
HEIN ?
VROOO
MOI AUSSI, JE VOUS APPRENDRAI ÇA !
TAU !
CRIII
HIRA-MARU !
MONSIEUR HIRAMARU...
OUI ?
VOUS PROFITEZ ENCORE DES CIRCONS-TANCES POUR NE PAS TRAVAIL-LER ?
OUI...
COMMENT EN SOMMES-NOUS ARRIVÉS LÀ...? AOKI ET FUKUDA QUI UNISSENT LEURS FORCES...
UNE SACRÉE ÉQUIPE...

DODO DODO
C'EST MOI QUI VAIS LUI APPRENDRE COMMENT DESSINER DES CULOTTES QU'ON ENTRAPERÇOIT !
!
FUKUDA... QUE FAIS-TU LÀ ?
son
J'AI FINI PAR RAPPELER MASHIRO...
TU VAS LUI APPRENDRE...? ET TA SÉRIE ?
T'OCCUPE ! S'IL LE FAUT, JE FERAI ÇA EN DESSINANT MES PLANCHES, PAR TÉLÉPHONE. ON PEUT S'ENVOYER DES DESSINS PAR FAX... ET JE PEUX TE DIRE QUE JE SERAI BIEN MEILLEUR ET PLUS SÉVÈRE QU'UN SIMPLE RESPONSABLE ÉDITO !

SI AOKI VEUT FAIRE LE MODÈLE, MOI, JE PEUX FAIRE LES CROQUIS DE NU.
ON OBTIENDRA UN MAGNIFIQUE MANGA.
AOKI, ON S'EN VA.
OUI.
BEN QUOI ? TAKAGI, C'EST TOI QUI ES VENU ME CHERCHER, NON ? C'EST TOI QUI VOULAIS MON AIDE, NON ?
OUI, MAIS J'AVAIS PRÉCISÉ QUE ÇA DÉPENDAIT AUSSI DE TON COMPORTE-MENT.
UN REÇU, S'IL VOUS PLAÎT.
OUI ! ET MOI, JE TE DIS QUE JE SUIS D'ACCORD !
AVEC AOKI COMME MODÈLE, JE VAIS FAIRE DE SUPER-DESSINS !
PAS NÉCESSAI-REMENT DE NU !
EN MAILLOT, ÇA SUFFIRA !
DODODODODO
LA FERME, GRINGO !
LE MANGA D'AOKI N'A PAS BESOIN D'UN TEL ÉROTISME !
VLAM
!?
!!

KÔ AOKI FAIT PARTIE DE MON CLAN. QUAND ON A FAIT LE BOYCOTT, ELLE ÉTAIT LÀ. AUJOURD'HUI, SI ELLE A DES ENNUIS, C'EST NORMAL QUE JE L'AIDE.
ÇA REMONTE À L'ÉPOQUE OÙ J'ÉTAIS ASSISTANT POUR EIJI... DEVANT ASHIROGI ET NAKAI, J'AI DIT LA CHOSE SUIVANTE :
"JE VAIS RÉVOLUTIONNER LE JUMP."
CLAC
VLAM
LA CLASSE !
...
AVEC MON MENTOR, EIJI...
... MUTO ASHIROGI...
... KÔ AOKI...
... KAZUYA HIRAMARU...
... ET... TAKURÔ NAKAI...
... C'EST LOIN D'ÊTRE IMPOSSIBLE...
NE PAS OUVRIR SANS PRÉVENIR ! FRAPPER AVANT D'ENTRER !!
TU VEUX "RÉVOLUTIONNER LE JUMP"...? ÇA ME RAPPELLE CE QU'AVAIT DIT EIJI AU DÉBUT : S'IL DEVENAIT N° 1, IL S'OCTROIERAIT LE DROIT DE METTRE FIN À UNE SÉRIE QU'IL DÉTESTERAIT...
HA ! HA ! CE N'EST PAS MON MENTOR POUR RIEN !
AH ! ÇA, C'EST UN SECRET !
MONSIEUR YÛJIRÔ... VOUS PARLEZ TOUJOURS TROP, VOUS...
J'AI UNE IDÉE ! SI JE DEVIENS LE MANGAKA LE PLUS POPULAIRE DU JUMP, JE DEMANDERAI L'ABOLITION DU SYSTÈME DE VOTE DES LECTEURS !
VLAM
ET COMMENT ON FERA POUR SAVOIR QUEL MANGA A LE PLUS DE SUCCÈS ?
ON REGARDERA LES VENTES RÉELLES DES LIVRES !
ON NE SAURA DONC RIEN AVANT QUE LES SÉRIES SOIENT PUBLIÉES AU FORMAT POCHE ?

IL NE SUFFIT PAS QUE LES LIVRES SE VENDENT BIEN.
LES QUESTIONNAIRES SONT AUSSI UTILES POUR QUE LE MAGAZINE SE VENDE BIEN.
OUI, MAIS C'EST QUAND MÊME BIZARRE QUE LES LECTEURS NE PUISSENT CHOISIR QUE TROIS SÉRIES !
IMAGINEZ UN CAS EXTRÊME : TOUS LES LECTEURS CONSIDÈRENT QU'UNE MÊME SÉRIE MÉRITE D'ÊTRE CLASSÉE 4e. ON NE LE SAURA JAMAIS, PUISQUE PERSONNE N'AURA PU VOTER POUR ELLE.
S'IL Y A VINGT SÉRIES DANS LE MAGAZINE, IL FAUT QUE LES LECTEURS PUISSENT DÉTERMINER L'ORDRE DES VINGT ! C'EST LA MEILLEURE SOLUTION.
ATTENDS... TU IMAGINES QUE LES LECTEURS VONT S'ASTREINDRE À FAIRE UN TRUC SI ENNUYEUX ?
NÉANMOINS, CE QUE TU DIS N'EST PAS FAUX, ET IL FAUT RESTER PRUDENTS.
WEEKLY SHÔNEN JUMP
Nos chers lecteurs
CADEAU SOUHAITÉ
ON NOUS DIT SOUVENT À LA RÉDACTION QU'IL FAUT FAIRE ATTENTION À LA SÉRIE QUI SE CLASSE TROISIÈME.
PARCE QUE, DÈS LORS QU'ELLE PASSE À LA 4e PLACE, SON NOMBRE DE VOTES CHUTE BRUTALEMENT.
AH, VOUS VOYEZ !! IL FAUDRAIT AU MOINS QU'ON AIT LES 10 PREMIERS... AU MOINS LES 5 PREMIERS !
ENFIN, DE TOUTE FAÇON, AUJOURD'HUI "KIYOSHI" N'A PLUS AUCUNE CHANCE D'ÊTRE PREMIER DANS LE MAGAZINE COMME DANS LES VENTES DE LIVRES...
VOUS N'ÊTES PAS FORCÉ D'ÊTRE AUSSI FRANC...
S'IL EST ADAPTÉ EN DESSIN ANIMÉ, IL PEUT Y AVOIR UN CHANGEMENT, MAIS, POUR L'INSTANT, ON N'A AUCUNE PROPOSITION... S'IL DEVAIT Y EN AVOIR UNE, ELLE IRAIT D'ABORD À "RAKKO"...
VOUS AVEZ REÇU UNE OFFRE POUR "RAKKO" ...?
OUI... MAIS C'EST CONFIDENTIEL. JE NE SUIS PAS CENSÉ EN PARLER AUX AUTEURS AVANT QUE CELA SOIT RENDU OFFICIEL.

...
JE VAIS PEUT-ÊTRE ARRÊTER "KIYOSHI", MOI...
QUOI ?! QU'EST-CE QUE TU RACONTES ?!
IL EST CLAIR QUE JE NE SERAI JAMAIS NUMÉRO 1 AVEC...
AU BOUT DE DEUX ANS DE PUBLICATIONS, "KIYOSHI" TOURNE AUTOUR DE LA 10e PLACE...
AUCUNE OFFRE D'ADAPTATION ANIMÉE EN VUE...
DANS CE CAS, AUTANT BOUCLER CETTE SÉRIE VITE FAIT ET EN COMMENCER UNE AUTRE POUR VISER LE TOP.
ARRÊTE, ON CROIRAIT ENTENDRE UN DES "CAPS" DE LA RÉDACTION...
SLAT SLAT SLAT SLAT
HA ! HA ! IL Y A UN CHEF D'ÉQUIPE QUI PARLE COMME ÇA ?
OUI... IL Y EN A MÊME UN QUI PENSE QU'AVEC UN CLASSEMENT PAREIL IL EST INUTILE DE FAIRE DURER LA SÉRIE. MIEUX VAUT TENTER QUELQUES NOUVELLES IDÉES, OU ALORS Y METTRE FIN POUR PASSER À AUTRE CHOSE. MAIS IL FAUT AUSSI SE METTRE UN PEU À LA PLACE DU DESSINATEUR...
CLAC CLAC
CE "CAP" PENSE EXACTEMENT COMME MOI !!
NE DIS PAS DE BÊTISES, FUKUDA ! "KIYOSHI" MARCHE ENCORE TRÈS BIEN ! ET IL A ENCORE TOUTES SES CHANCES D'ÊTRE ADAPTÉ EN DESSIN ANIMÉ.
AIDE AOKI SI TU VEUX, MAIS NE NÉGLIGE PAS "KIYOSHI" POUR AUTANT.
OUI...
SHAT SHAT
LE CLAN FUKUDA... IL COLLABORE AUSSI AVEC ASHIROGI... SI CE DERNIER POUVAIT DÉCROCHER UNE NOUVELLE SÉRIE...
... ÇA POURRAIT DONNER UN COUP DE FOUET À NIIZUMA QUI DÉPRIME UN PEU DEPUIS LA FIN DE "TRAP"... D'AILLEURS, "RAKKO" ARRIVE SOUVENT DEVANT "CROW" CES TEMPS-CI...
...
GRAT GRAT
BON ! ALLEZ, LE CLAN FUKUDA !
SHAAA
SI JE PEUX VOUS ÊTRE UTILE EN QUOI QUE CE SOIT, FAITES-MOI SIGNE.
SHAAA
MONSIEUR YÛJIRÔ, VOUS ÊTES TOUJOURS COMPRÉHENSIF. C'EST POUR ÇA QUE JE VOUS AIME.
FUKUDA !! FERME LA PORTE QUAND TU VAS AUX TOILETTES, BON SANG !!

集英
JE VAIS À MA RÉUNION AVEC ASHIROGI.
BEN ALORS ? MIURA N'A PAS LA FORME... "TANTO" A POURTANT ÉTÉ N° 1 DANS L'AKAMARU...
C'EST À CAUSE DE "BB KENICHI"... LA SÉRIE MARCHE MOYENNEMENT...

RRRR

RÉDACTION DU WEEKLY SHÔNEN JUMP, J'ÉCOUTE.
ICI TANINAKA DE "ROMAN SUBARU". PUIS-JE PARLER À M. AKIRA HATTORI ?

HATTORI ! C'EST POUR TOI !

AIKO AKINA ? LA LAURÉATE DU PRIX DES JEUNES AUTEURS ?
DE NOM, OUI, MAIS JE SUIS DÉSOLÉ, JE N'AI PAS LU SON ROMAN.

EN FAIT, ELLE EST VENUE ME DIRE QU'ELLE AIMERAIT ÉCRIRE DES SCÉNARIOS DE MANGAS... EN TANT QUE COLLÈGUE DE LA MÊME PROMO, J'AIMERAIS QUE VOUS VOYIEZ CE QU'ON PEUT FAIRE...

...
BIEN ENTENDU, SI ÇA NE CONVIENT PAS, VOUS POURREZ ME LE DIRE CLAIREMENT...
VOUS SAVEZ, NORMALEMENT, DANS CE GENRE DE CAS, ON PRIVILÉGIE LES LAURÉATS DU PRIX DES SCÉNARIOS DE MANGAS...
ATTENDEZ, CE N'EST PAS TOUT...

VOUS ALLEZ VOIR, C'EST AMUSANT.
ELLE ÉTUDIE DANS LA MÊME UNIVERSITÉ QUE KÔ AOKI, ET EN PLUS, ELLE ÉTAIT EN CLASSE AU COLLÈGE AVEC MUTO ASHIROGI...

DANS LE MÊME COLLÈGE ?
OUI. TAKAGI ET ELLE ÉTAIENT TOUJOURS LES PREMIERS DE LA CLASSE, ET ENCORE AUJOURD'HUI, ELLE LE CONSIDÈRE COMME SON RIVAL.
...

ET C'EST ÇA QUI LA POUSSE À VOULOIR ÉCRIRE DES SCÉNARIOS DE MANGAS ?
OUI... J'AI ESSAYÉ DE L'EN DISSUADER À PLUSIEURS REPRISES, MAIS ELLE INSISTE POUR QUE JE VOUS LA PRÉSENTE...

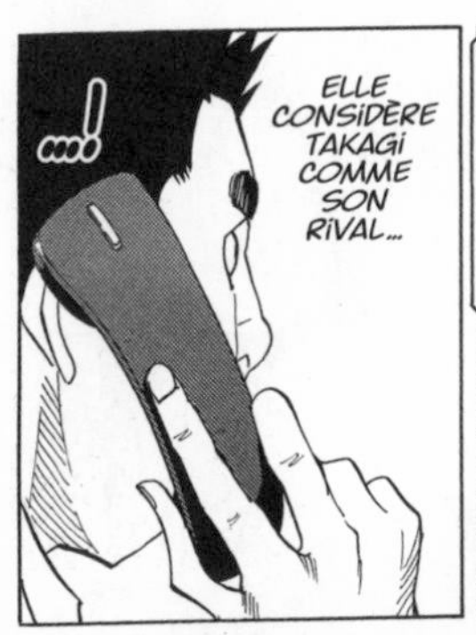
ELLE CONSIDÈRE TAKAGI COMME SON RIVAL...
...!

BON ! C'EST D'ACCORD. OFFICIELLEMENT, JE PRÉFÉRERAIS QU'ON DISE QU'ELLE EST VENUE ELLE-MÊME MONTRER SON SCÉNARIO, ET NON PAS QUE VOUS ÊTES INTERVENU...
HEIN ? AH, OUI ! JE COMPRENDS, ENTENDU.

CLAC

ÇA NE COÛTE RIEN...
...DE VOIR CE QU'ELLE VAUT...

BIEN ! C'EST BON COMME ÇA POUR LE PREMIER CHAPITRE.
AUJOURD'HUI, IL EST COURANT QU'UNE NOUVELLE SÉRIE DÉBUTE AVEC PLUS DE 50 PAGES, MAIS C'EST UN GAG MANGA, ET AVEC 45 PAGES, BIEN RYTHMÉES, LES LECTEURS DEVRAIENT LIRE ÇA SANS SE LASSER.
JE RAJOUTERAI ENCORE DES GAGS JUSQU'AU DERNIER MOMENT, AVANT LA RÉUNION.

POUR LE CHAPITRE 2, J'AIME BIEN L'IDÉE DES "PRÉDICTIONS TROP VRAIES".
C'EST CLAIR QUE DES PRÉDICTIONS QUI SE VÉRIFIENT À CHAQUE FOIS, TOUT LE MONDE EN VOUDRAIT !
HA ! HA !
OUI, MAIS VOUS NE PENSEZ PAS QU'ON DEVRAIT EXPLIQUER POURQUOI TOUT SE VÉRIFIE À CE POINT ?
NON... DES INVENTIONS QUI MARCHENT PAR HASARD, C'EST UN POINT FORT DES GAGS DE CETTE HISTOIRE.
HA HA
ET POUR LA FIN, LE FAIT QU'IL PERDE TOUT L'ARGENT GAGNÉ AVEC LES PRÉDICTIONS, PERSONNELLEMENT, JE TROUVE ÇA MOYEN...

C'EST VRAI QUE C'EST UN CLASSIQUE... CHANGE LA FIN SI JAMAIS TU TROUVES MIEUX, MAIS...
D'ACCORD. JE VAIS Y RÉFLÉCHIR.
NON... ON A BESOIN DE TROIS CHAPITRES POUR LA RÉUNION ÉDITORIALE.
RÉFLÉCHISSONS PLUTÔT À LA MANIÈRE DE COMPOSER CES TROIS CHAPITRES. SI LES TROIS CHAPITRES SONT PRÊTS POUR LA RÉUNION, "TANTO" POURRA Y ÊTRE PRÉSENTE.
HEIN ?
!?
TROIS CHAPITRES ? JE NE COMPRENDS PAS BIEN...

LE RÉDACTEUR EN CHEF ADJOINT A POUSSÉ UNE GUEULANTE PARCE QU'IL Y A TROP PEU DE MANGAS QUI SERONT PRÉSENTÉS À LA PROCHAINE RÉUNION...
DU COUP, J'AI MENÉ MA PETITE ENQUÊTE...
TOUT D'ABORD, VU LA DEUXIÈME PLACE OBTENUE DANS LE JUMP NORMAL AVEC L'HISTOIRE COMPLÈTE DE "HASSURUMIN A", ARAI-SENSEI VA AVOIR UNE NOUVELLE SÉRIE.
ENSUITE, VOTRE PREMIÈRE PLACE DANS L'AKAMARU VOUS GARANTIT PRESQUE UNE SÉRIE À VOUS AUSSI.
QUANT À UNE TROISIÈME SÉRIE ÉVENTUELLE, POUR L'INSTANT, IL SEMBLE QU'IL N'Y AIT RIEN DE CONCRET.
?
AH BON ? C'EST TOUT ?
...

OUI... ON COMPTE AUSSI SUR RYÛ SHIZUKA, CLASSÉ JUSTE DERRIÈRE VOUS DANS L'AKAMARU, MAIS IL SEMBLE AVOIR POUR CONSIGNE DE CHANGER LES GRANDES LIGNES DE SON HISTOIRE, ET MÊME S'IL LA TERMINE À TEMPS POUR LA RÉUNION, ÇA DEVRAIT MANQUER DE FINITIONS.
AOKI EST HORS CONCOURS, PUISQU'ELLE VA RETENTER SA CHANCE AVEC UNE HISTOIRE COMPLÈTE.
J'AI ENVIE QU'AOKI S'ACCROCHE... ON COLLABORE, ET ELLE A L'AIDE DE FUKUDA... JE PENSAIS QU'ELLE SERAIT UNE CONCURRENTE DE TAILLE, MAIS...
... JE NE SUIS PAS MÉCONTENT DE PASSER LA RÉUNION SANS ÊTRE EN CONCURRENCE DIRECTE...
SI C'EST VRAIMENT COMME ÇA, ÇA SIGNIFIE QU'ON AURA NOTRE SÉRIE MÊME SI LES NEMUS SONT MOYENS...
... MAIS CETTE FOIS, JE VEUX ÉVITER À TOUT PRIX UN ARRÊT PRÉMATURÉ DE LA SÉRIE... IL LE FAUT POUR MIYOSHI AUSSI.
...
C'EST POUR ÇA QU'IL FAUT SE DONNER À FOND POUR FAIRE TROIS CHAPITRES CONVAINCANTS !
?
OUI !
AH !

* FUKUSUKE : LITTÉRALEMENT "À TRAVERS LES VÊTEMENTS", MAIS ÉGALEMENT LE NOM D'UNE DIVINITÉ JAPONAISE.

2
集英社
QUELS SONT TES SHÔNEN MANGAS PRÉFÉRÉS ?
AUCUN EN PARTI-CULIER.
FLAP
TU LIS BEAUCOUP DE MAGAZINES DE MANGAS POUR ADOLES-CENTS ?
JE LIS LE "JUMP" DEPUIS ENVIRON QUATRE ANS.
QUATRE ANS... C'EST AUSSI LE TEMPS QUI S'EST ÉCOULÉ DEPUIS QU'ASHI-ROGI S'EST PRÉSENTÉ ICI...
TU PERMETS QUE JE TE POSE QUELQUES QUESTIONS UN PEU DIRECTES ?
TAC
PAR EXEMPLE ?
TANINAKA M'A DIT QUE TU CONSIDÉRAIS MUTO ASHIROGI, OU PLUTÔT AKITO TAKAGI COMME TON RIVAL, C'EST VRAI ?
...
OUI.

JE NE VAIS PAS TE DEMANDER POURQUOI, MAIS...
... SI JAMAIS TON SOUHAIT EST D'ÊTRE EN CONCURRENCE AVEC LUI, ET DE LE DÉPASSER, ALORS, LE SEUL MOYEN D'Y ARRIVER EST DE FAIRE CE QUE JE TE DIRAI.
JE VAIS ÊTRE FRANC : EN MANGA, TU ES UNE PURE DÉBUTANTE, ET JE VAIS DEVOIR TOUT T'APPRENDRE. CELA PRENDRA DU TEMPS. ES-TU PRÊTE À CELA ?
ATTEINDRAI-JE MES OBJECTIFS SI JE VOUS ÉCOUTE ?
IL FAUT ESSAYER POUR LE SAVOIR, MAIS...

... SACHE QUE C'EST MOI QUI AI VU LE PREMIER LES PLANCHES QU'ONT APPORTÉES TAKAGI ET MASHIRO IL Y A QUATRE ANS.
!
IL Y A UNE GRANDE DIFFÉRENCE ENTRE DES PLANCHES DE MANGAS TERMINÉES ET UN SIMPLE SCÉNARIO ÉCRIT, MAIS, SUR LE SEUL CRITÈRE DU TALENT, JE RESSENS LA MÊME IMPRESSION QUE CELLE QUE J'AVAIS EUE AVEC EUX.
CELA ME FAIT PLAISIR !
NÉANMOINS... UNE HISTOIRE STATIQUE, DANS LAQUELLE ON SUIT JUSTE L'ÉVOLUTION DES SENTIMENTS DES PERSONNAGES, ÇA NE FAIT PAS UN MANGA... IL VA FALLOIR REPARTIR DE ZÉRO.
D'AC-CORD.
SAT
VOICI CE QUE L'ON APPELLE DES NEMUS... SOIS FRANCHE ET DIS-MOI SI TU ES CAPABLE D'ÉCRIRE SOUS CETTE FORME-LÀ.
NON... LE DESSIN ET MOI, ÇA FAIT DEUX...
BON... TU PEUX DÉJÀ, POUR CHAQUE PAGE, FAIRE UN DÉCOUPAGE AVEC DES TRAITS POUR DÉLIMITER CHAQUE CASE...
NE T'OCCUPE PAS ENCORE DU CONTENU. ESSAIE DE FAIRE ÇA AVEC TON SCÉNARIO.
SAT
ENTENDU. JE PEUX LE FAIRE D'ICI CE SOIR.
D'ICI DEMAIN, ÇA IRA.
OUI, D'AC-CORD.
ELLE EST MOTIVÉE... AVEC ELLE, ÇA PEUT MARCHER.

JE T'AI POURTANT DIT QUE CE N'ÉTAIT PAS COMME ÇA !! ET PAS QU'UNE FOIS EN PLUS !!
MAIS... TU N'ES PAS OBLIGÉ DE ME PARLER SUR CE TON POUR LE DIRE...
JE TE DONNE DES EXPLICATIONS, CONTENTE-TOI DE LES ÉCOUTER ! JE T'AI DIT QUE CE N'ÉTAIT PAS LA PEINE DE FAIRE DE GROS PLANS INUTILES SUR L'INTÉRIEUR DE LA JUPE, NON ?! ÇA NE CORRESPOND PAS AU STYLE DE TON MANGA !
LA FILLE SE DÉSHABILLE, ELLE PREND SON BAIN NORMALEMENT, ET ÇA SUFFIT !
C'EST JUSTEMENT POUR ÇA QUE J'AI MIS LA SCÈNE OÙ ELLE SE DÉSHABILLE AVANT LE BAIN !
PEUT-ÊTRE, MAIS POURQUOI DESSINER ÇA AVEC UNE CONTRE-PLONGÉE SUR L'INTÉRIEUR DE LA JUPE ? CE N'EST PAS NATUREL !
LÀ, JE VAIS FINIR PAR ME DIRE QUE TU AS MAUVAIS GOÛT !
...
BON ! TU FAIS UNE CASE OÙ L'ON VOIT LA CULOTTE QUI TOMBE AUX PIEDS, ET UN GROS PLAN SUR LE PIED PAR LEQUEL PASSE LA CULOTTE. ET DANS LES TEXTES, TU ÉCRIS : "JE VAIS PRENDRE UN BAIN !"
ATTENDS... JE PRENDS DES NOTES !
RETIENS DE TÊTE ! COMME TU VAS À L'UNIVERSITÉ, TU SAIS FAIRE ÇA, NON ?
TAIS-TOI ! L'UNIVERSITÉ N'A RIEN À VOIR !

ENSUITE… POURQUOI SE PERD-ELLE DANS SES PENSÉES LORSQU'ELLE SE LAVE ? C'EST N'IMPORTE QUOI !
ON LA VOIT EN TRAIN DE SE LAVER. ÇA DOIT FAIRE PLAISIR AUX GARÇONS, NON ?
ELLE SE PERD DANS SES PENSÉES !! QU'ELLE LE FASSE UNE FOIS ENTRÉE DANS LA BAIGNOIRE ! PAS BESOIN D'UNE SCÈNE DE NU ICI ! DANS LA BAIGNOIRE, ON VOIT JUSTE LA TÊTE ET LES ÉPAULES DÉPASSER. TOI, QUAND TU TE FROTTES LE CUL, TU RÉFLÉCHIS ?!
DIS DONC, RESTE POLI, QUAND MÊME !
AH… PARDON ! QUAND TU TE FROTTES "LES FESSES" …?
C'EST PAREIL !!
AH, NON ! ÇA FAIT UNE GROSSE DIFFÉRENCE !
DONC… "PAS QUAND ELLE SE FROTTE LE CUL"… MAIS "DANS LA BAIGNOIRE"…
ENSUITE, DANS LA PREMIÈRE PARTIE, SHÔICHIRÔ EXPRIME TROP CLAIREMENT SON DÉSIR DE SORTIR AVEC DES FILLES… IL EST TROP VOLAGE… IL FAUT QU'IL SOIT PLUS TIMIDE.
D'ICI DEMAIN, IL FAUT QUE TU CORRIGES LA SCÈNE DU BAIN ET L'ATTITUDE DE SHÔICHIRÔ !
DEMAIN ? C'EST IMPOSSIBLE ! DANS UNE HEURE, ON SERA DEMAIN !
TU VISES UNE SÉRIE, OUI OU NON ?!
TU VEUX FAIRE L'HISTOIRE ET LES DESSINS, NON ?! ALORS, DESSINE !!
ET JE NE VEUX PAS ENTENDRE QUE LE MANQUE DE SOMMEIL EST MAUVAIS POUR LA PEAU !!
…
NON, TU NE M'ENTENDRAS PAS DIRE ÇA. JE VAIS FAIRE DE MON MIEUX, MERCI !
!
VOILÀ ! BIEN SAGE !

JUMP
SQUARE
V JUMP
ÉDITORIAL
MONSIEUR YOSHIDA, VOUS AVEZ UNE MINUTE ?
QUOI ?
J'AIMERAIS QUE VOUS JETIEZ UN COUP D'OEIL SUR LES NEMUS D'AOKI...
ELLE A ENCORE REFAIT SES DESSINS ?
OUI, SANS QUE JE LE DEMANDE.

...
C'EST UNE AUTEURE ÉTRANGE... À CHAQUE FOIS QU'ELLE RECOMMENCE, ON DIRAIT QU'ELLE CHANGE DE STYLE.
N'EST-CE PAS ? SON MANGA SE RAPPROCHE DE PLUS EN PLUS D'UN STYLE SHÔNEN.

ELLE N'AURAIT PAS PRIS UN CONSEILLER ?
WAOUH... DANS LE MILLE...
C'EST POSSIBLE... UN AMI DE LA FAC DE TÔÔ...?
MAIS... ATTENDS...
VU LES AMÉLIORATIONS QU'ON CONSTATE, SI ELLE ARRIVE À FAIRE TROIS CHAPITRES À TEMPS, ÇA VAUT PEUT-ÊTRE LE COUP DE LA PRÉSENTER POUR UNE SÉRIE EN RÉUNION ÉDITORIALE...
SI C'EST DE CE NIVEAU-LÀ, OUI... EN SÉRIE, LES ARRIÈRE-PLANS SERAIENT FAITS PAR LES ASSISTANTS, ÇA GOMMERAIT SON POINT FAIBLE.

GÉNIAL ! AVEC SHIZUKA ET AOKI, ÇA FAIT DEUX POSSIBILITÉS D'AVOIR DES SÉRIES.
OUI, ENFIN, NE PARLE PAS TROP VITE QUAND MÊME... UN ÉDITEUR QUI PLACE DEUX SÉRIES DANS LE MAGAZINE DÈS SA PREMIÈRE ANNÉE ICI, ON N'A JAMAIS VU ÇA.
NON ? C'EST UN MANQUE DE MOTIVATION. VOUS VERREZ, MOI, JE VAIS Y ARRIVER.
OUI ? BON COURAGE...

TAC
C'EST PLUS QUE DU COURAGE QU'IL VA TE FALLOIR CETTE FOIS ! DEUX SÉRIES, C'EST IMPOSSIBLE ! IL Y A DÉJÀ LE MANGA D'ARAI-SENSEI, ET LA SÉRIE D'ASHIROGI SERA SÛREMENT CHOISIE AUSSI. IL RESTE ENCORE UNE CASE, GRAND MAXIMUM.
!
POUR ARAI-SENSEI, D'ACCORD, MAIS JE PENSE QUE TU T'AVANCES UN PEU POUR ASHIROGI.
IL A ÉTÉ N° 1 DANS L'AKAMARU...
PFF ! LES N° 2 ET 3 DE L'AKAMARU PEUVENT TOUT À FAIT DÉPASSER LE N° 1 ! ÇA ARRIVE SOUVENT !

OUI, MAIS JE NE TE LAISSERAI PAS FAIRE ! MOI, JE ME CONCENTRE SUR UN SEUL MANGA. JE NE ME DISPERSE PAS COMME TOI.
EN PRÉSENTANT DEUX MANGAS POUR DES SÉRIES EN MÊME TEMPS, J'AI UN AVANTAGE.
BAM
ÇA SUFFIT, VOUS DEUX !
PARDON !
HA ! HA !

CRAT! CRAT!
C'EST TOI QUI M'APPELLES, PRINCESSE AOKI... JE VOIS QUE TU ES MOTIVÉE.
QU'Y A-T-IL ?
LES NEMUS DE L'AUTRE JOUR ONT ÉTÉ APPRÉCIÉS, ET DU COUP, ON ME PROPOSE DE POSTULER DIRECTEMENT POUR UNE SÉRIE, SANS REFAIRE D'HISTOIRE COMPLÈTE. C'EST GRÂCE À TES CONSEILS, JE TE REMERCIE.
CRAT! CRAT!
BIEN JOUÉ...
IL N'Y A PAS QUE MOI. ASHIROGI ET HIRAMARU T'ONT AUSSI AIDÉE. C'EST GRÂCE À TOUT LE MONDE.
OUI.
BON ! ALORS, TU M'ENVOIES LE CHAPITRE 2... ET LE 3 AUSSI !
AH... JE NE LES AI PAS ENCORE FAITS. JE VOULAIS TE DIRE MERCI, D'ABORD.
HEIN ? NE M'APPELLE PAS SI TU N'AS RIEN FAIT ! JE ME FICHE DE TES REMERCIEMENTS ! SI TU AS DU TEMPS POUR ÇA, PASSE-LE PLUTÔT À DESSINER LE CHAPITRE 2 !
OUI ! MAIS MON RESPONSABLE M'A DIT AUSSI DE M'EXERCER AU DESSIN DES PERSONNAGES, ALORS...
OUI, IL N'A PAS TORT... PARCE QU'ON NE PEUT PAS DIRE QUE TU DESSINES BIEN !
NON... MAIS MIEUX QUE TOI QUAND MÊME !
BIEN EN-VOYÉ, CHIPIE !
EN TOUT CAS, IL RESTE PEU DE TEMPS AVANT LA RÉUNION, ALORS, AU BOULOT !
OUI... MON ÉDITEUR ME DIT QUE JE DOIS FAIRE MIEUX QU'ASHIROGI... ÇA ME GÊNE UN PEU...
ON A TOU-JOURS DIT QU'ON ÉTAIT DES ÉQUI-PIERS ET DES RIVAUX EN MÊME TEMPS, NON ?
CELA DIT, IL FAUT QUAND MÊME LES PRÉVENIR QUE TU VAS PEUT-ÊTRE POSTULER POUR UNE SÉRIE, TOI AUSSI, À LA PROCHAINE RÉUNION. JE M'EN CHARGE. TOI, NE TE COUCHE PAS AVANT D'AVOIR FAIT TES NEMUS.
ENTENDU, MERCI.

♪ ♪
FUKUDA ! SALUT !
ON DIRAIT BIEN QUE C'EST LE RETOUR AUX AFFAIRES DU CLAN FUKUDA, HEIN ?
QUOI ?

TAC
AOKI VA AUSSI ÊTRE PRÉSENTÉE POUR UNE SÉRIE ?
!

OUI. APPAREMMENT, VOUS L'AVEZ AIDÉE, ET MOI, JE L'AI DIRIGÉE SUR SES DESSINS QUI LAISSENT ENTRAPERCEVOIR DES CULOTTES, ET ÇA EN A FAIT UNE RIVALE SOLIDE.
BIEN SÛR, L'IDÉAL SERAIT QUE VOUS AYEZ TOUS VOS SÉRIES EN MÊME TEMPS, MAIS NE VOUS LAISSEZ PAS FAIRE !
EIJI ET MOI, ON VOUS ATTEND !
OUI !

ÇA ALORS... AOKI SERA AUSSI EN COMPÉTITION... L'AIDE DE FUKUDA A BEAUCOUP JOUÉ, C'EST CLAIR ! IL FAUT S'ACCROCHER !
OUI ! COMME IL Y A ENTRE NOUS UNE GRANDE ÉMULATION, ON NE PEUT PAS SE PERMETTRE DE PERDRE FACE À ELLE !

LE TEMPS A PASSÉ...
... ET AOKI COMME NOUS SOMMES PARVENUS À DESSINER DES NEMUS DE QUALITÉ SUFFISANTE POUR ÊTRE PRÉSENTÉS EN RÉUNION.

LA VEILLE DE LA RÉUNION ÉDITORIALE...
SHUE
ON A DIX-NEUF RESPONSABLES ÉDITORIAUX ET ON N'OBTIENT QUE HUIT NEMUS DE MANGAS POUR DES SÉRIES...
HEIN ? AH... JE VAIS PRÉVENIR LES "CAPS" QU'IL FAUT REMOTIVER LES TROUPES.
EXCUSEZ-MOI... VOUS PERMETTEZ QUE JE REGARDE LES AVIS SUR LES DIFFÉRENTES SÉRIES POSSIBLES ? J'AI DEUX AUTEURS EN LICE, ALORS...
SAT
ALORS... SHIZUKA...
?
OH... C'EST PAS MAL...
POUR UN DÉBUTANT UN PEU LE FOND ET LA FORME
Le manga est
me pose un problème
des réunions uniquement par chat
peu de chances de le voir à la fête de fin d'année
HUM...
CETTE ÉCRITURE, C'EST CELLE DE M. YOSHIDA.
IL EXAGÈRE... CE QU'IL ÉCRIT N'A RIEN À VOIR AVEC LE MANGA...
ENSUITE, AOKI...
TAP TAP TAP
ASHIROGI... JE VEUX L'ENVELOPPE D'ASHIROGI...
TAC
QUOI ?
BEN ALORS ?

LES NEMUS D'OHBA

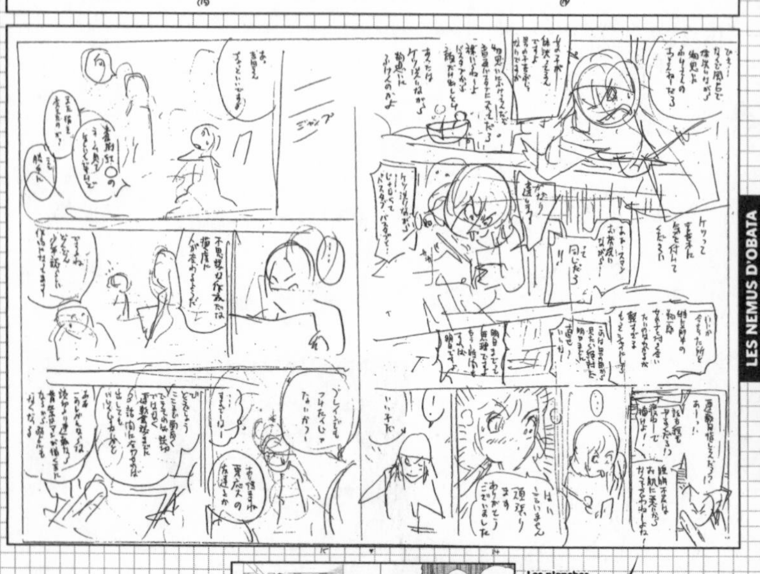

LES NEMUS D'OBATA

Les planches terminées !

BAKUMAN - VOL. 8
Du découpage à la planche finie
Épisode 68 - pages 142-143

HEIN ?
"J'AI L'IMPRESSION QUE C'EST MOINS DYNAMIQUE QUE DANS L'AKAMARU"... "C'EST BIEN FAIT, MAIS SI SÉRIALISATION IL Y A, ALORS IL FAUT TROUVER UNE ASTUCE POUR NE PAS LASSER LES LECTEURS"...
BEN ALORS ?
"C'EST BIEN MIEUX QUE LA VERSION COURTE PUBLIÉE DANS L'AKAMARU"... "ON A ENVIE DE CONNAITRE LA SUITE. BON SIGNE POUR UNE SÉRIE"...
Page 69
Amis à part et province

LES CRITIQUES SONT MOINS BONNES QUE JE NE LE PENSAIS...
"AU TEMPS DES FEUILLES VERTES" A ÉTÉ PLUS APPRÉCIÉ QUE JE NE L'IMAGINAIS...
...
AAH
HÉ
TAP TAP TAP
JE VEUX VOIR, MOI AUSSI. J'AI PRÉSENTÉ TADOKORO, SANS GRAND ESPOIR.
MOI, C'EST HINO-SENSEI.
ET ARAI-SENSEI ?
SAT
SAT

ÇA A L'AIR TRÈS BIEN PARTI POUR "HASSURUMIN A"...
BLA
BLA
BLA
ZUT... S'IL Y A TROIS NOUVELLES SÉRIES, IL Y AURA FORCÉMENT TROIS ARRÊTS DE SÉRIES... "BB KENICHI" RISQUE D'ÊTRE L'UNE D'ELLES... MAIS "TANTO" SERAIT ALORS DANS LES NOUVELLES SÉRIES... L'IDÉAL SERAIT QUE "BB KENICHI" SE POURSUIVE ET QUE "TANTO" DÉMARRE, MAIS...
LES SÉRIES D'AOKI ET DE SHIZUKA POURRAIENT BIEN DÉBUTER EN MÊME TEMPS...
...
VIVEMENT DEMAIN !

MIYOSHI, QU'EST-CE QU'IL FAIT TON PÈRE, DÉJÀ ?

JE TE L'AI DIT : IL A UNE PETITE AGENCE IMMOBILIÈRE DE YAKUSAS. ET LE MARDI, LE MERCREDI ET LE JEUDI, IL ENSEIGNE LE KARATÉ DANS UN DOJO DU QUARTIER.
AH, OUI ! C'EST VRAI... ET TA MÈRE L'AIDE À L'AGENCE, HEIN ?
TU ES DONC LA FILLE D'UN P.D.G...

OUI. C'EST POUR ÇA QU'IL SERA PEUT-ÊTRE OPPOSÉ AU MARIAGE.

NE ME FAIS PAS PEUR. DÉJÀ, JE NE SUIS PAS RASSURÉ DE SAVOIR QU'IL EST PROF DE KARATÉ, ALORS...

EN TOUT CAS, DEMAIN, C'EST LA RÉUNION ; APRÈS-DEMAIN, CE SERA LA VISITE DE TAKAGI CHEZ MES PARENTS. IL FAUT S'ENTRAÎNER.
MASHIRO, TU VAS JOUER LE RÔLE DE MON PÈRE.
HEIN ? OUI...

BONJOUR, MONSIEUR. JE ME PRÉSENTE : AKITO TAKAGI.
ON EST ENSEMBLE DEPUIS LE COLLÈGE ET MAINTENANT, ON EST DANS LA MÊME UNIVERSITÉ.

HUM ! JE SUIS LE PÈRE DE KAYA.

JE T'EN PRIE. TU PEUX T'ASSEOIR.
TAC
AH... OUI.
JE VOUS REMERCIE.
TAC

NON... ON ARRÊTE... J'AI HONTE DE FAIRE ÇA...

OH ! TU CROIS QUE C'EST LE MOMENT DE DIRE ÇA ?

MAIS... ATTENDONS AU MOINS LA DÉCISION À PROPOS DE LA SÉRIE. EN PLUS, MOI, JE NE SAIS PAS COMMENT IL EST...

...

PFF... DE TOUTE FAÇON, TU ES TROP TIMIDE POUR POUVOIR IMPROVISER...

LE LENDEMAIN, À LA RÉUNION ÉDITORIALE...
集英
TIENS ! LA RÉUNION A DÉJÀ COMMENCÉ ?
ÇA T'ÉTONNE ? TU ARRIVES À 3 HEURES DE L'APRÈS-MIDI...
ALLEZ "TANTO" ! DEVIENS UNE SÉRIE !
SI LES MANGAS DE SHIZUKA ET D'AOKI SONT SÉRIALISÉS, ON VA ENFIN ME LIBÉRER DE "PATAMAN".
C'EST AUJOURD'HUI QUE SE JOUENT NOTRE NOUVELLE SÉRIE ET MON MARIAGE... C'EST UN TOURNANT DE MA VIE !
TADAN ! LE FORMULAIRE DE MARIAGE !
TIC
RAAH ! TU L'AS DÉJÀ PRÉPARÉ ?!
BEN OUI ! SI ON VEUT SE MARIER À LA MAIRIE, C'EST NORMAL !
OUI, MAIS IL FAUT QU'ON ATTENDE D'AVOIR L'ACCORD DE NOS PARENTS !
BON, ARRÊTEZ, TOUS LES DEUX ! C'EST DÉJÀ ASSEZ TENDU ICI COMME ÇA !

TAKAHAMA
UN HOMME FAIT LA DIFFÉRENCE GRÂCE À SA TECHNIQUE... JE PARLE DE MANGAS, BIEN SÛR ! HA ! HA !
OH... MONSIEUR NAKAI... VOUS, ALORS...
...
EXCUSEZ-MOI, MAIS...

... JE NE VOUS L'AVAIS PAS ENCORE DIT, MAIS IL N'EST PAS IMPOSSIBLE QUE L'ARRÊT DE "BB KENICHI" SOIT DÉCIDÉ EN RÉUNION ÉDITORIALE AUJOURD'HUI.
HEIN ?
JE L'IGNORAIS... SI LA SÉRIE S'ARRÊTE, ON VA ENCORE ÊTRE TOUS SÉPARÉS, N'EST-CE PAS ?
"SÉPARÉS" ?!

OUI, MAIS ÇA NE NOUS EMPÊCHE PAS DE CONTINUER À NOUS VOIR.
HUM... C'EST VRAI... ON A FAIT CONNAISSANCE, ALORS, ON PEUT PRENDRE DES NOUVELLES PAR TÉLÉPHONE DE TEMPS EN TEMPS.
...
PAR TÉLÉPHONE ?
OUI... ON N'EST PAS ENGAGÉS DANS UNE RELATION AMOUREUSE. CE SERAIT BIZARRE DE SE VOIR, N'EST-CE PAS ?
GRRRR
...

C'EST TOUT CE QUE ÇA REPRÉSENTE POUR NATSUMI...?
...
AH... OUI... APRÈS TOUT, IL EST ÉVIDENT QUE SORTIR AVEC UN GARS COMME MOI, C'EST IMPENSABLE, HEIN ?
HA ! HA !
POUR MOI ? OH LÀ... TOTALEMENT IMPENSABLE, OUI. VOUS ÊTES DRÔLE, ET JE VOUS ADMIRE EN TANT QU'ASSISTANT, MAIS MOI, JE PRÉFÈRE LES HOMMES PLUS JEUNES... JE NE VOUS L'AVAIS PAS DIT ?
...
GRRR
GRRR
GRRR
GRRR

ELLE PRÉFÈRE LES HOMMES PLUS JEUNES...
TOTALEMENT... IMPENSABLE...

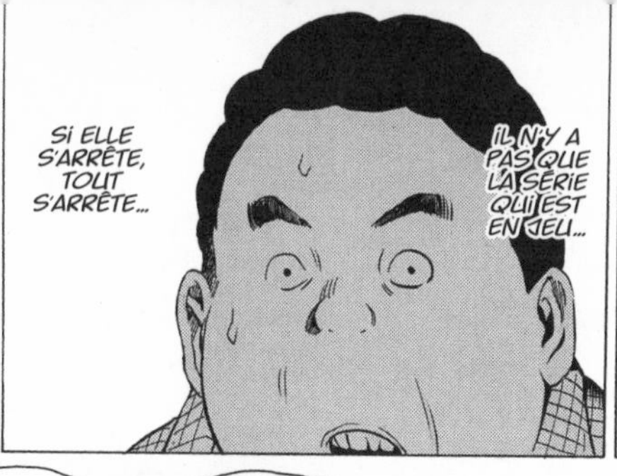
IL N'Y A PAS QUE LA SÉRIE QUI EST EN JEU...
SI ELLE S'ARRÊTE, TOUT S'ARRÊTE...

N'EMPÊCHE, ELLE EST GONFLÉE... ELLE AGIT EN ME LAISSANT SUPPOSER DES CHOSES, ET, SI LA SÉRIE S'ARRÊTE, C'EST JUSTE UN FROID "AU REVOIR ET MERCI"...
DANS CES CONDITIONS, J'AURAIS MIEUX FAIT DE NE PAS CHERCHER À IMPOSER DE CONDITIONS À AOKI, ET J'AURAIS DÛ ACCEPTER DE VISER UNE SÉRIE AVEC ELLE... LA MAUVAISE BLAGUE !
CRAT

MAIS... TU SAIS... MOI, QUAND JE DIS QUE JE T'AIME BIEN, C'EST PLUTÔT SÉRIEUX, NATSUMI...

VOUS REMETTEZ ÇA... NON, S'IL VOUS PLAIT...

HUM...
GRRR
GRRR
GRRR
GRRR
GRRR

BAM
VOUS ALLEZ ARRÊTER CE GENRE DE DISCUSSIONS ICI !
!
AH... PARDON...
GLOUP

C'EST LA PREMIÈRE FOIS QUE JE LE VOIS S'ÉNERVER.
S'IL EST AUSSI TENDU, C'EST CERTAINEMENT QUE ÇA CRAINT VRAIMENT POUR "BB KENICHI"...

AH... J'AI MAL À L'ESTOMAC...
CRRR
CRRR
HEIN ? QU'EST-CE QUI T'ARRIVE ?
À TON AVIS ? L'ATTENTE DES RÉSULTATS DE LA RÉUNION, ÇA ME STRESSE !
DOM
AH... OUI, C'EST VRAI...
DOM
ZUT... ET MOI QUI AI DIT À MASHIRO ET À TAKAGI QU'AVEC TROIS CHAPITRES BIEN PRÉPARÉS C'ÉTAIT QUASIMENT DANS LA POCHE... SI JAMAIS ILS NE SONT PAS PRIS POUR LA SÉRIE...

AH... J'AI MAL À L'ESTOMAC...
CRRR
CRRR
MIURA... NE TE METS PAS DANS CET ÉTAT-LÀ... IL N'Y A QUE HUIT MANGAS EN LICE. SI DEUX NOUVELLES SÉRIES DÉBUTENT, ÇA VEUT DIRE QUE TU AS UNE CHANCE SUR QUATRE.
AU VU DE LA QUALITÉ DES HUIT MANGAS, JE DIRAIS QUE "TANTO" A PLUS D'UNE CHANCE SUR DEUX.
APPAREM-MENT, LA DÉCISION EST DÉJÀ PRISE POUR ARAI-SENSEI... IL NE RESTE DONC PLUS QU'UNE SÉRIE À CHOISIR PARMI SEPT MANGAS.
YAMAHISA ! TOI, TAIS-TOI !
HOU ! J'AI PEUR...

SHUUU
CRAT
CRAT CRAT

♪ ♪
FÉLICITATIONS ! "AU TEMPS DES FEUILLES VERTES" COMMENCERA EN SÉRIE DANS LE N° 2 DU DÉBUT D'ANNÉE !
C'EST VRAI ? MERCI BEAUCOUP !

ENTRE NOUS, J'AVAIS ENCORE DES INCERTITUDES JUSTE AVANT LA RÉUNION, MAIS...
... TOUT LE MONDE A NOTÉ UNE GROSSE AMÉLIORATION DEPUIS L'ÉPISODE DE L'AKAMARU...
ET ÇA, ÇA A BEAUCOUP JOUÉ EN VOTRE FAVEUR.
C'EST GRÂCE À TOUS LES AUTRES...
IL FAUT BIEN QUE JE LES REMERCIE...

BON ! CETTE FOIS, VOUS ALLEZ ÉGALEMENT FAIRE LES DESSINS, CE QUI VA VOUS OBLIGER À PRENDRE DES ASSISTANTS. C'EST FAISABLE À VOTRE DOMICILE ?
S'IL VAUT MIEUX LOUER UN LOCAL, IL FAUT S'Y METTRE SANS ATTENDRE.
EUH... JE PENSE QUE C'EST MIEUX CHEZ MOI POUR COMMENCER...
... MAIS, POUR LES ASSISTANTS, JE NE VEUX AVOIR QUE DES FILLES.
JE COMPRENDS... JE VAIS FAIRE DE MON MIEUX POUR PRÉPARER ÇA.

RRRR
AH... PLUS QUE QUATRE CHAPITRES...?
C'EST TERMINÉ...

C'EST LE MANGA DE KÔ AOKI QUI DÉBUTE ET... NON... POUR LES NOUVEAUTÉS, ÇA IRA, M. MIURA...
AH... BON...
AOKI...
C'EST SON MANGA QUI VA ÊTRE SÉRIALISÉ... ZUT... J'AURAIS DÛ FAIRE ÉQUIPE AVEC ELLE...
EST-CE QU'ON PEUT FAIRE UNE RÉUNION CE SOIR ? SI TU PRÉFÈRES UN AUTRE JOUR, JE COMPRENDS...
NON, AUJOURD'HUI, C'EST BIEN. JE M'Y ÉTAIS PRÉPARÉ.

IL N'EST PLUS NÉCESSAIRE DE PRENDRE DE L'AVANCE DANS LE TRAVAIL... VOUS POUVEZ RENTRER CHEZ VOUS AUJOURD'HUI. J'AI BESOIN D'ÊTRE UN PEU SEUL...
CLAC !
OUI.
...
VLAM
AU REVOIR !
CLANG
MERDE...

PLUS QUE QUATRE CHAPITRES, ET CE SERA TERMINÉ...
NATSUMI... AVANT CELA, J'AIMERAIS METTRE CERTAINES CHOSES AU CLAIR.
JE SUIS DÉSOLÉE.
JE NE PEUX PAS AVOIR UNE RELATION PARTICULIÈRE AVEC VOUS, MONSIEUR NAKAI.
SAT さ さ...

...
!

TAP た
TAP た..
TAP

AAH... C'EST FINI AVEC NATSUMI...
AH ! MAIS OUI ! AOKI VA AVOIR BESOIN DE NOUVEAUX ASSISTANTS POUR SA SÉRIE...

ニヤ..
HÉ

MAIS APRÈS CE QUI S'EST PASSÉ...
NON... SI JE LUI DIS QUE C'EST STRICTEMENT PROFESSIONNEL, EN TANT QU'ASSISTANT...

ALLÔ ?
ON N'A PAS ÉTÉ RETENUS ?

...
NE SOIS PAS DÉÇU ! CE N'EST QUE PARTIE REMISE À LA PROCHAINE RÉUNION, AVEC DES NEMUS ENCORE AMÉLIORÉS !
MAIS VOUS NOUS AVIEZ DIT QU'AVEC CES TROIS CHAPITRES C'ÉTAIT BON...
TU SAIS, PLUS L'ATTENTE EST GRANDE ENVERS UN AUTEUR, PLUS ON AVANCE PRUDEMMENT ! C'EST UNE BONNE NOUVELLE. D'UNE CERTAINE MANIÈRE, ON NE POUVAIT PAS ESPÉRER MIEUX... HA ! HA !

BON ! JE SUIS DÉSOLÉ, MAIS "BB KENICHI" SE TERMINE, ALORS, JE DOIS VOIR TAKAHAMA...
ON REPARLE DE TOUT ÇA DEMAIN.
"BB KENICHI" S'ARRÊTE ?
OUI... TAKAHAMA EST ENCORE UN PEU JEUNE... HA ! HA ! HA !
CLAP
"CE N'EST QUE PARTIE REMISE À LA PROCHAINE RÉUNION"...

ET VOILÀ...
DÉCROCHER UNE SÉRIE, C'EST LOIN D'ÊTRE AUSSI SIMPLE QUE ÇA...
MAIS POURQUOI ? C'EST BIZARRE, NON ?
TAKAGI ! TU T'ES RELÂCHÉ PARCE QUE TU NE VEUX PAS TE MARIER, HEIN ?
PFF ! AUCUN RISQUE QUE JE FASSE ÇA !
...
CE SONT LES MANGAS D'ARAI-SENSEI ET D'AOKI QUI SONT PASSÉS.
AOKI ?!
ON ÉTAIT N° 1 DE L'AKAMARU, MAIS ON S'EST FAIT DÉPASSER.
LE CHOIX DES SÉRIES DANS UNE RÉUNION, ÇA RESTE TRÈS ALÉATOIRE...
M. MIURA ÉTAIT TROP OPTI-MISTE...
À LA PROCHAINE RÉUNION, IL FAUT QU'ON AIT NOTRE SÉRIE ET QU'ON DÉPASSE AOKI À NOTRE TOUR.
LE FAIT QUE LE MANGA DE TAKAHAMA S'ARRÊTE M'INTRIGUE AUSSI... ON A LE MÊME RESPON-SABLE...
...
ÇA N'A RIEN À VOIR... IL FAUT FAIRE CONFIANCE À M. MIURA... C'EST BIEN GRÂCE À LUI QU'ON A EU LA PREMIÈRE PLACE DANS L'AKAMARU.
OUI, C'EST VRAI ! LA PROCHAINE FOIS SERA LA BONNE ! SOYONS POSITIFS ET DONNONS-NOUS À FOND !
OUAIS !
...
ÇA REMET À PLUS TARD NOTRE MARIAGE...
JE... DÉSO-LÉ...
UNE ASSISTANTE ? OUI, J'EN CONNAIS UNE... ELLE EST CHEZ TAKAHAMA POUR "BB KENICHI"... LA SÉRIE S'ARRÊTE, ÇA TOMBE BIEN.
NON... LÀ, JE NE PEUX QUAND MÊME PAS DEMANDER ÇA À MIURA.
"BB KENICHI" S'ARRÊTE... "TANTO" N'A PAS ÉTÉ RETENU...
JE N'AI PLUS DE SÉRIE EN COURS À SUIVRE... QUE VA-T-ON ME CONFIER CETTE FOIS ?
CLAC !

M. NAKAI ...

...
BONJOUR, C'EST NAKAI.

J'AI APPRIS LA NOUVELLE POUR VOTRE SÉRIE...
... ET J'AI PENSÉ QUE VOUS AURIEZ PEUT-ÊTRE BESOIN D'UN ASSISTANT... SANS FAIRE TOUS LES DESSINS, ÊTRE JUSTE ASSISTANT, ÇA ME CONVIENDRAIT...

AVANT DE ME DIRE CELA, DES EXCUSES ME SEMBLERAIENT PLUS APPROPRIÉES, MAIS...
...
... PEU IMPORTE, PUISQUE, DE TOUTE FAÇON, J'AI DÉCIDÉ DE NE PRENDRE QUE DES ASSISTANTES...

QUE DES ASSISTANTES...
VOUS... VOUS ÊTES SÛRE ? LA SÉRIE DE L'ATELIER OÙ JE TRAVAILLAIS VA S'ARRÊTER, ET NATSUMI M'A DIT CLAIREMENT QU'ON NE SE REVERRAIT PLUS, ALORS...

IL SE FAIT PLAQUER, ALORS, IL REVIENT VERS MOI...
IL EST GONFLÉ...

CLAC !
JE VOUS PRIE DE M'EXCUSER, MAIS NE ME RAPPELEZ PLUS JAMAIS.
!
AH... J'AI ENCORE TROP PARLÉ...

FIUU

LE LENDEMAIN...
TAKAHAMA
M. NAKAI N'AVAIT PAS DIT QU'IL SERAIT ABSENT, N'EST-CE PAS ?
NON...
BIP !
BIP !

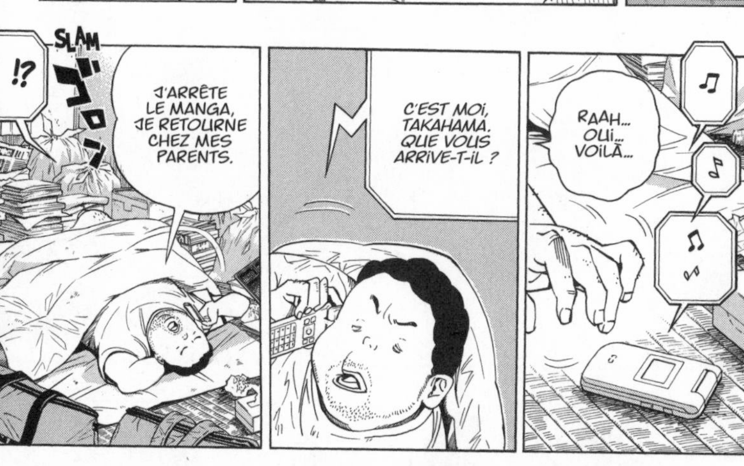
♫
♪
♫
RAAH... OUI... VOILÀ...
C'EST MOI, TAKAHAMA. QUE VOUS ARRIVE-T-IL ?
J'ARRÊTE LE MANGA, JE RETOURNE CHEZ MES PARENTS.
SLAM
!?

HEIN ? MAIS QU'EST-CE QUE VOUS RACONTEZ ? ICI, IL NOUS RESTE ENCORE QUATRE CHAPITRES À FAIRE...
JE TE RAPPELLE QUE JE N'ÉTAIS LÀ QUE POUR DÉPANNER. DEMANDE À TON RESPONSABLE, IL TROUVERA UN REMPLAÇANT TOUT DE SUITE.
CLIC !
...
!
...

VOUS AVEZ REPOUSSÉ M. NAKAI ?
JE LUI AI DIT QUE JE NE POUVAIS PAS ENVISAGER DE RELATION PARTICULIÈRE AVEC LUI...
...
ET C'EST POUR ÇA QU'IL VEUT ARRÊTER LE MANGA ET RENTRER CHEZ SES PARENTS À LA CAMPAGNE...
BIP ! BIP !
LA PROCHAINE RÉUNION ÉDITORIALE AURA LIEU EN FIN D'ANNÉE, HEIN ?
EST-CE QU'ON DOIT RENDRE LES TROIS PREMIERS CHAPITRES MORTELLEMENT DRÔLES ? OU BIEN DOIT-ON FAIRE UN STOCK DE GAGS POUR ÉVITER QU'IL Y AIT UNE CHUTE D'HUMOUR BRUTALE DANS LE CHAPITRE QUATRE ?
LES DEUX !
TAKA-HAMA !
IL VEUT SÛREMENT SE PLAINDRE DE LA FIN SE SA SÉRIE...
M. NAKAI VA RENTRER CHEZ SES PARENTS À LA CAMPAGNE ?! MAIS POURQUOI...?
HEIN ?
KATÔ A REFUSÉ DE SORTIR AVEC LUI.
L'AUTRE JOUR, AOKI AUSSI...
AH... ALORS, C'EST LE CONTRE-COUP DU DOUBLE CHOC...
IL A SES DÉFAUTS, MAIS EN DESSIN, IL EST QUAND MÊME AU-DESSUS DES AUTRES...
MERCI D'AVOIR APPELÉ. ON VA ESSAYER DE LE RAISONNER.
QUEL IMBÉCILE... MÊME SI JE COMPRENDS CE QU'IL DOIT RESSENTIR...

JE VAIS COMMENCER PAR LUI TÉLÉPHONER.
BIP ! BIP !

CETTE FOIS, C'EST TOI, MASHIRO ?
POURQUOI VOULEZ-VOUS TOUT ARRÊTER ? AVEC LE TALENT QUE VOUS AVEZ, C'EST DU GÂCHIS !

PEUT-ÊTRE, MAIS J'AI ESSAYÉ DE M'EN SERVIR POUR DE MAUVAISES RAISONS... JE ME DÉGOÛTE.

DE MAUVAISES RAISONS...? AH... UNE RELATION AMOUREUSE...?

CLIC !
INUTILE D'ESSAYER DE ME RETENIR. JE PARS DEMAIN SOIR APRÈS QUE TOUTES MES AFFAIRES AURONT ÉTÉ ENLEVÉES.
MONSIEUR NAKAI...
IL A RACCROCHÉ.
...

FRANCHEMENT, JE N'AI PAS LA FORCE D'ESSAYER DE L'ARRÊTER... IL A MAL AGI, IL N'A QUE CE QU'IL MÉRITE...
BON ! JE RENTRE CHEZ MOI POUR RÉFLÉCHIR TRANQUILLEMENT À DE NOUVEAUX GAGS.
SAT

SHÛJIN, TU N'AS PAS DE COEUR...

DANS CE GENRE DE SITUATION, IL Y A FUKUDA...
BIP !
IL FAUT QUE L'ENVIE VIENNE DE LUI, SINON ÇA NE SERT À RIEN.
MAIS ENFIN ...
SI C'EST NOUS QUI AGISSONS À SA PLACE, ÇA NE LUI APPORTERA RIEN ! IL A PLUS DE 35 ANS, HEIN ?
MÊME FUKUDA...

UNE SEULE PERSONNE PEUT LE FAIRE CHANGER D'AVIS...
BIP ! BIP !

NON, C'EST IMPOSSIBLE.
HIER, JE LUI AI DIT DE NE PLUS JAMAIS M'APPELER, ALORS...
...

...
SHÛJIN A PEUT-ÊTRE RAISON DE DIRE QU'IL A CE QU'IL MÉRITE...

...
MOI AUSSI, J'AURAI UNE SÉRIE !

JE CROIS QU'IL VA TOUT ABANDONNER À CAUSE DE MOI...
...
ET TU VEUX L'EN EMPÊCHER ?
NON, CE N'EST PAS CE QUE J'AI DIT... JE LE DÉTESTE AU PLUS HAUT POINT...
...

MON-SIEUR NAKAI...
MASHIRO...
MES PARENTS HABITENT À AKITA, ILS CULTIVENT DU RIZ ET DES POMMES.
JE T'ENVERRAI PLEIN DE POMMES.
SAT
NE PARTEZ PAS.
C'EST VOUS QUI M'AVEZ APPRIS LES BASES DES ARRIÈRE-PLANS.
AH ! C'EST VRAI... ÇA VALAIT DONC LA PEINE QUE JE DESSINE.
JE SUIS COMME VOUS : MOI AUSSI, JE N'AI QUE LE DESSIN.
VOUS REPRÉSENTEZ UN EXEMPLE POUR MOI !
JE VEUX QUE VOUS RÉUSSISSIEZ ! N'ABANDONNEZ PAS VOTRE RÊVE !
MERCI...
JE NE CHANGERAI PAS D'AVIS.
JE TE L'AI DIT HIER : JE NE MÉRITE PAS DE DESSINER DES MANGAS.
SALUT ! PRENDS SOIN DE TOI !
MON-SIEUR NAKAI !
!
?

FUKUDA !
AOKI !
AMF Harley-Davidson

TAC
TAC

JE VOUS REMERCIE DE VOTRE COLLABORATION SUR "HIDEOUT DOOR".

ET MOI, JE SUIS DÉSOLÉ DE VOUS AVOIR CAUSÉ DES ENNUIS.

ZAT

TOUT N'EST PAS FINI, HEIN ?!

CRRRR

コインランドリー

LES NEMUS D'OHBA

LES NEMUS D'OBATA

Les planches terminées !

BAKUMAN - VOL. 8
Du découpage à la planche finie
Épisode 69 - pages 156-157

KABURA-PEN
Page 70
3e fois et 2e histoire

SAT

ELLE A PARFAITEMENT INTÉGRÉ CE QUE JE LUI AI DIT...
DE TELLES FACULTÉS, C'EST LA MARQUE D'UNE ÉLÈVE DE TÔÔ ...?

QU'EN PENSEZ-VOUS ?
C'EST TRÈS BIEN. MÊME EN TANT QUE MANGA POUR ADOLESCENTS, ÇA DÉPASSE CE QUE J'ESCOMPTAIS.

C'EST GRÂCE À VOS DIRECTIVES, MONSIEUR HATTORI. MOI, JE ME SUIS CONTENTÉE DE LES SUIVRE.

DANS CES CONDITIONS, IL N'Y A AUCUN PROBLÈME À CONTINUER SELON MON IDÉE.
PEUX-TU ÉCRIRE LA SUITE ?

HEIN ?

VOUS M'AVIEZ POURTANT DEMANDÉ UNE HISTOIRE COMPLÈTE DE 45 PAGES...
OUI, MAIS J'AI DÉJÀ ENVIE DE LIRE LA SUITE.

POUR UNE HISTOIRE COMPLÈTE, J'ADMETS QUE LA FIN EST PEU NATURELLE, MAIS...

OUI, J'AI AUSSI L'IMPRESSION QUE CELA SE TERMINE EN DEMI-TEINTE.

DANS CE CAS, POUVONS-NOUS EN DISCUTER MAINTENANT ?
EN FAIT, CETTE FOIS, J'AIMERAIS QUE TU ÉCRIVES LIBREMENT, EN T'APPUYANT SUR LES BASES QUE JE T'AI EXPLIQUÉES JUSQU'À PRÉSENT.

ÇA COMMENCE PAR L'HISTOIRE D'UN JEUNE GARÇON QUI REGARDE UNE ÉMISSION SUR LES POUVOIRS PARANORMAUX ET QUI DÉCOUVRE QU'IL ARRIVE À TORDRE LUI-MÊME DES CUILLÈRES.
ENSUITE, IL DÉPLACE DES OBJETS, ET VOIT À TRAVERS...
PAR DIVERS MOYENS DE CONCENTRATION, IL ACQUIERT DIFFÉRENTS POUVOIRS SENSORIELS...
POUR FINIR, IL PASSE 20 JOURS À FAIRE ÉCLORE UN ŒUF DE POULE FÉCONDÉ DONT SORT UN ÊTRE VIVANT NI HUMAIN NI MONSTRE...

VOILÀ L'HISTOIRE QUE J'AI PU LIRE D'UNE SEULE TRAITE.
J'AIMERAIS QUE TU ÉCRIVES LA SUITE EN PENSANT AUX ADOLESCENTS QUI LIRONT TON RÉCIT AVEC EXCITATION DE MÊME QU'À MOI.

JE PEUX Y RÉFLÉCHIR TOUTE SEULE ? VOUS ÊTES SÛR ?
OUI. SI C'EST NÉCESSAIRE, J'APPORTERAI DES CORRECTIONS. SI ÇA NE VA PAS, JE T'INDIQUERAI PRÉCISÉMENT POURQUOI. EN FAIT, J'AI ENVIE DE VOIR CE QUE TU ES MAINTENANT CAPABLE DE FAIRE SEULE.
ENTENDU.

QUE DOIS-JE CORRIGER DANS CES NEMUS ?
C'EST CE DONT TU VAS PARLER À LA RÉUNION AUJOURD'HUI, NON ?
SAT

RAJOUTER DES GAGS, OUI, MAIS IL Y A UNE LIMITE... ET SI ON FAIT DES CHANGEMENTS, AUTANT TOUT CHANGER, NON ?
MAINTENANT QUE TU LE DIS, OUI, PEUT-ÊTRE...

NOTRE SÉRIE SERA SÉLECTIONNÉE À LA PROCHAINE RÉUNION ÉDITORIALE, N'EST-CE PAS ? IL LE FAUT, PARCE QU'ON A DÉJÀ ÉCHOUÉ DEUX FOIS DE SUITE, ALORS, LA TROISIÈME FOIS, ON N'AURA PLUS DROIT À L'ERREUR, CE SERA DÉCISIF...
...

À LA DERNIÈRE RÉUNION, IL N'Y AVAIT QUE HUIT MANGAS EN COMPÉTITION... ON PEUT DONC SUPPOSER QU'IL Y EN AURA BEAUCOUP PLUS À LA RÉUNION SUIVANTE... S'IL Y A DEUX OU TROIS SÉRIES QUI DÉBUTENT...
ENFIN, MAINTENANT ON SAIT QU'IL NE FAUT PAS TROP CROIRE M. MIURA LORSQU'IL DIT : "C'EST SÛR !"
"FAITES TROIS CHAPITRES ET VOUS ÊTES SÛRS D'ÊTRE SÉLECTIONNÉS"... PFF ! JE ME DEMANDE SI C'EST VRAIMENT BIEN D'AVOIR M. MIURA COMME RESPONSABLE.
BLA BLA
BLA BLA

BON ! TU AS FINI, OUI ? ON DOIT PARTIR CHEZ SHÛEISHA MAINTENANT SI ON VEUT ÊTRE À L'HEURE.
OUI...
CLAC

JUMP
SQUARE
V JUMP
TU EN FAIS UNE TÊTE, MIURA...
PFFFF
AVEC LA FIN DE "BB KENICHI", JE N'AI PLUS DE SÉRIE À GÉRER. JE PENSAIS QUE "TANTO" SERAIT SÉLECTIONNÉ, MAIS...
C'EST TOUJOURS MIEUX QUE DE RÉCUPÉRER DES SÉRIES D'AUTRES ÉDITEURS, NON ? C'EST LA PREUVE QU'ON ATTEND BEAUCOUP DE TAKAHAMA ET D'ASHIROGI.
ENFIN, ÇA VEUT AUSSI DIRE QU'IL NE FAUT PAS TE LIMITER À EUX ET QUE TU DOIS CONTINUER À TRAVAILLER.
JE LE SAIS BIEN, ET J'EN SUIS BIEN CONTENT. MAIS, À LA PROCHAINE RÉUNION, IL FAUT ABSOLUMENT QUE "TANTO" SOIT SÉRIALISÉ.
RRRRR
VOTRE RENDEZ-VOUS DE 14 H 30. MM. TAKAGI ET MASHIRO SONT LÀ.
MERCI. JE DESCENDS. INSTALLEZ-LES LÀ OÙ IL Y A DE LA PLACE.
ENTENDU. ILS SERONT DANS LE BOX 3.
ASHIROGI EST LÀ. JE REVIENS.
TAC
O.K., BON TRAVAIL !
MONSIEUR AIDA...
OUI ?
QUELLES MODIFICATIONS PEUT-ON APPORTER À CES NEMUS ? MOI, PERSONNELLEMENT, JE N'EN VOIS PAS.
DANS CE CAS, FAIS-LES PASSER EN L'ÉTAT À LA PROCHAINE RÉUNION.
VOUS ÊTES FROID...
RÉPÈTE-LEUR LES COMMENTAIRES FAITS EN RÉUNION.
OUI, BIEN SÛR...

TU VOIS, JE T'AVAIS DIT QUE SHIZUKA AVAIT UN PROBLÈME D'ORDRE HUMAIN.
CERTES, MAIS LÀ, IL ABUSE.
JE LUI DIS QUE SON MANGA EST À DEUX DOIGTS D'ÊTRE SÉRIALISÉ, ET LUI, IL M'ENVOIE CE MAIL ET COUPE TOUTES COMMUNICATIONS.

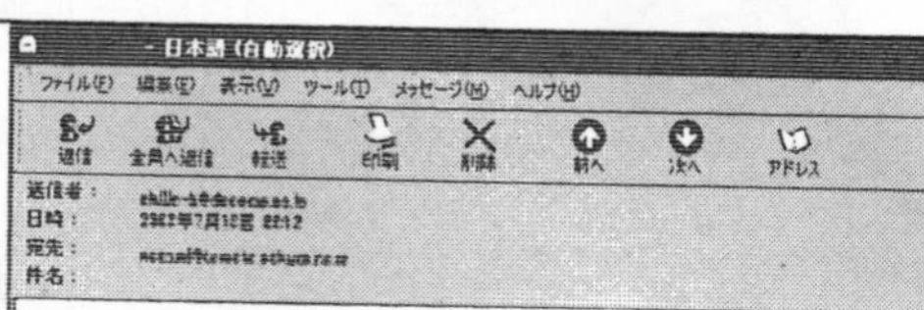
GAME OVER

JE TE RAPPELLE QUE TU ÉTAIS TRÈS FIER QU'IL VISE UNE SÉRIE COMME ON JOUE À UN JEU VIDÉO. TU L'AS UN PEU CHERCHÉ...
...

TU VEUX VRAIMENT EN FAIRE UN MANGAKA ? TU LAISSES TON ORDINATEUR DE CÔTÉ, ET TU TE RENDS CHEZ LUI, POUR LE VOIR, AUTANT DE FOIS QU'IL LE FAUDRA. LA PREMIÈRE ÉTAPE, C'EST DE NOUER UNE VRAIE RELATION DE RESPONSABLE ÉDITORIAL À MANGAKA.
OUI... JE VOUS PROMETS QU'IL AURA BIENTÔT UNE SÉRIE !
TAC

PAS QUESTION ! IL A DÉJÀ AOKI, JE REFUSE QUE CE SOIT ENCORE YAMAHISA QUI RÉUSSISSE À PLACER UN DE SES AUTEURS.
IL FAUT QUE "TANTO" PASSE !!

AUTREMENT DIT, COMME ILS ONT ÉTÉ PRÉCÉDÉS D'UNE HISTOIRE COMPLÈTE, LES NEMUS POUR LA SÉRIE N'ONT PAS EU L'IMPACT ESCOMPTÉ.
L'EFFET DE SURPRISE DE LA PREMIÈRE LECTURE S'EST DISSIPÉ À LA DEUXIÈME LECTURE QUE CONSTITUAIENT LES NEMUS.
C'EST ÉVIDEMMENT PLUS FRÉQUENT DANS LE CAS D'UN MANGA COMIQUE.
IL N'EMPÊCHE QUE "TANTO" A ÉTÉ PREMIER DANS L'AKAMARU... IL FAUT DONC RÉFLÉCHIR AUX MOYENS DE DYNAMISER L'HISTOIRE ENCORE PLUS.
3
OUI, D'ACCORD, ON A DÉJÀ TRAVAILLÉ À FOND SUR LES PERSONNAGES, N'EST-CE PAS ?
IL NE RESTE DONC PLUS QU'À PEAUFINER LES GAGS...
LES RIVAUX ! ON N'A PAS ENCORE VU DE RIVAUX !
SHÛJIN, TU AVAIS DIT QUE SI ON BASCULAIT DANS LA BASTON, TU METTRAIS EN SCÈNE UN INVENTEUR MÉCHANT...
AH... ÇA FAIT UN RIVAL, OUI.

VOILÀ L'IDÉE ! LAISSONS LE CHAPITRE 1 TEL QU'IL EST ET METTONS LE MÉCHANT INVENTEUR DANS LE CHAPITRE 2 !
ET NE LÉSINE PAS SUR LES EFFORTS !
AH... OUI.
BRR ! BRR ! BRR !
HEIN ? VOUS M'EXCU-SEZ ?

MIURA, J'ÉCOUTE.
J'AI TAKAHAMA EN FACE DE MOI.

HEIN ?! TAKAHAMA ?! IL NE M'A PAS PRÉVENU... QUE FAIT-IL DANS VOTRE BUREAU, MONSIEUR LE DIRECTEUR...?
!?

TU FERAIS MIEUX D'ÊTRE LÀ, TOI AUSSI. VIENS, ON T'ATTEND.
C'EST-À-DIRE QUE JE SUIS EN RÉUNION AU REZ-DE-CHAUSSÉE AVEC ASHIROGI, MAIS IL VAUT MIEUX QUE JE VIENNE IMMÉDIATEMENT ?

...

EMMÈNE ASHIROGI ET VIENS.
...

DÉSOLÉ, MAIS VOUS VOULEZ BIEN VENIR AVEC MOI À L'ÉTAGE ?
CLAC
TAKAHAMA EST LÀ, C'EST ÇA ?
3
POURQUOI EST-IL AVEC LE DIRECTEUR ÉDITORIAL ET PAS AVEC VOUS ?

J'AI MA PETITE IDÉE LÀ-DESSUS, MAIS...
...

TAKAHAMA ! POURQUOI ES-TU VENU ICI SANS ME PRÉVENIR ?
JE SUIS DÉSOLÉ...
SHÛJIN, ICI, ÇA IRA.
TAC
HEIN ? OUI.
TAKAHAMA EST VENU DEMANDER DE CHANGER DE RESPONSABLE ÉDITORIAL.
!
...
MAIS POURQUOI ?

PARCE QUE JE NE PEUX PAS DESSINER CE QUE JE VEUX.
!!

VOUS NE ME LAISSEZ PAS DESSINER COMME JE LE SOUHAITE.
C'EST LA SEULE RAISON ?
OUI.
ÉCOUTE-MOI BIEN.
EN DISANT QU'ON NE TE LAISSE PAS DESSINER CE QUE TU VEUX...
... TU ADMETS EN QUELQUE SORTE QUE TU MANQUES DE TALENT.
!
SI TU TE MONTRAIS CAPABLE DE DESSINER UN SHÔNEN MANGA INCONTESTABLEMENT BON, À PARTIR DE CE QUE TOI TU VEUX, JE POURRAIS L'ACCEPTER.
MAIS TU N'AS PAS ENCORE CETTE FORCE-LÀ.
!
...
MONSIEUR LE DIRECTEUR...

JE NE VAIS DONC PAS T'ATTRIBUER UN NOUVEAU RESPON-SABLE.
ET CE N'EST PAS PARCE QUE TU DÉBUTES DANS LE MÉTIER. MÊME AVEC UN VÉTÉRAN, JE NE FERAI JAMAIS D'EXCEPTION PAREILLE.

SI TU MAINTIENS QUE TU NE PEUX PAS TRAVAILLER AVEC MIURA, LIBRE À TOI D'ALLER TRAVAILLER DANS UN AUTRE MAGAZINE. J'ASSUMERAI MOI-MÊME LA RUPTURE DE TON CONTRAT.
...
JE... JE COM-PRENDS.
J'AI PARLÉ SANS RÉFLÉCHIR, VEUILLEZ M'EN EXCUSER.

"ON NE NOUS LAISSE PAS DESSINER CE QU'ON VEUT..." C'EST PEUT-ÊTRE L'EXCUSE CLASSIQUE DE CEUX QUI MANQUENT DE TALENT...
TAKAHAMA... SI QUELQUE CHOSE T'EMBÊTE, JE PRÉFÈRE QUE TU M'EN PARLES DIRECTEMENT... JE SUIS PRÊT À CORRIGER MES DÉFAUTS, TU SAIS...
IL FAUT SE SERRER LES COUDES, O.K. ?
OUI... PARDON...

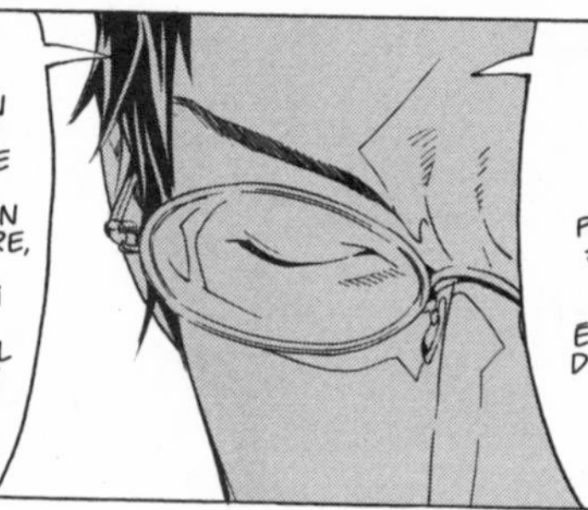
SI L'AUTEUR A UN DÉSACCORD PROFOND AVEC SON RESPONSABLE SUR LE GENRE D'HISTOIRE QU'IL DOIT ÉCRIRE OU SUR LA DIRECTION QU'ELLE DOIT PRENDRE, ET S'IL PENSE QUE C'EST SON AVIS QUI EST LE BON, QUE C'EST SON AVIS QU'IL FAUT GARDER, LIBRE À LUI DE DESSINER LE MANGA COMME IL L'ENTEND.
EN TANT QUE MEMBRE DE LA RÉDACTION, JE DOIS AVOIR CE DISCOURS, MAIS PERSONNELLEMENT, JE PENSE QUE LES AUTEURS QUI METTENT LEURS ÉCHECS SUR LE DOS DE LA RÉDACTION OU DE LEUR ÉDITEUR SONT VRAIMENT IDIOTS.

集英社
IL EST DÉJÀ ARRIVÉ QUE CES MANGAS REMPORTENT LE SUCCÈS. D'UNE CERTAINE FAÇON, ON PEUT DIRE QUE CE SONT DE "VRAIES ŒUVRES".
OUI.
BECK

カタン
TATAM
IL NE PLAISANTAIT PAS AUJOURD'HUI, LE RÉDAC' CHEF...
OUI... ÇA M'A ÉPUISÉ...
ON S'EST BEAUCOUP PLAINTS, NOUS AUSSI, DE M. MIURA...
IL FAUT QU'ON ARRÊTE DE LE METTRE EN CAUSE...
カタン
TATAM
カタン
TATAM
カタン
TATAM
カタン
OUI... MOI AUSSI, ÇA M'A FAIT BEAUCOUP RÉFLÉCHIR...

YŪJIRŌ, TU AS UNE MINUTE ?
HEIN ? QUOI ?

ON POURRAIT BOIRE UN CAFÉ ENSEMBLE, LÀ-BAS...
PFF ! QUAND C'EST MOI QUI PROPOSE ÇA, TU TIRES LA TRONCHE...

C'EST VACHEMENT BIEN... "AIKO AKINA"... ÇA ME DIT QUELQUE CHOSE... QUI C'EST ?
ÇA RESTE ENTRE NOUS, MAIS C'EST UNE RIVALE DE TAKAGI.

UNE RIVALE ?

ENFIN, EN TANT QUE SCÉNARISTE RIVALE, POURQUOI PAS, MAIS... À QUI VAS-TU DEMANDER DE DESSINER ÇA ? NAKAI ?
NON.

JE PENSE DAVANTAGE À UN MANGAKA DOTÉ D'UN ESPRIT COMBATIF À L'ÉGARD DE MUTO ASHIROGI.
UN ESPRIT COMBATIF ? QUI ÇA ? MASHIRO A UNE QUALITÉ DE DESSIN TRÈS ÉLEVÉE, ALORS...
EIJI NIIZUMA !
QUOI ?!
QU'EST-CE QUE TU RACONTES ?! HORS DE QUESTION !
ATTENDS ! RÉFLÉCHIS BIEN !
TU ME RÉPÈTES SOUVENT QUE, DEPUIS LA FIN DE "TRAP", NIIZUMA A PERDU DE L'ENTRAIN...
HEIN...? ET ALORS ? EN LUI FAISANT DESSINER CETTE HISTOIRE COMPLÈTE, TU IMAGINES QU'IL VA RETROUVER DE L'ÉNERGIE POUR "CROW" ?
EXACTEMENT !
SI L'HISTOIRE EST PUBLIÉE AVEC NIIZUMA AU DESSIN, CE SERA UN DÉTONATEUR POUR ASHIROGI !
NON SEULEMENT NIIZUMA REPRÉSENTE POUR EUX L'OBJECTIF À ATTEINDRE, LE MANGAKA QU'ILS VEULENT DÉPASSER,
MAIS EN PLUS, CETTE FOIS, IL Y A AIKO AKINA AU SCÉNARIO, QUI EST UNE RIVALE DE TAKAGI DEPUIS LE COLLÈGE.
SI NIIZUMA APPREND QUE CELA SERA UN BON STIMULATEUR POUR ASHIROGI, NE CROIS-TU PAS QU'IL AURA ENVIE DE DESSINER CETTE HISTOIRE ?
C'EST PEUT-ÊTRE BIEN POUR ASHIROGI, MAIS QUE VA Y GAGNER NIIZUMA ?

NIIZUMA N'A-T-IL PAS ENVIE QU'ASHIROGI AIT UNE BONNE SÉRIE AFIN DE L'AFFRONTER DANS LE JUMP ?
...
STIMULER DES AUTEURS QUI ONT UN SENS AIGU DE LA RIVALITÉ, ET LES METTRE EN CONCURRENCE...
... JE NE VOIS PAS CE QU'IL Y A DE MAL À FAIRE ÇA.
HUM... EN EFFET, VU SOUS CET ANGLE...
MAIS ATTENDS... C'EST UNE HISTOIRE DE 45 PAGES, HEIN ? MÊME SI NIIZUMA A PLUS DE TEMPS DEPUIS QU'IL N'EST PLUS AU LYCÉE, AU NIVEAU DU PLANNING, C'EST IMPOSSIBLE !
QUI T'A PARLÉ DE FAIRE ÇA TOUT DE SUITE ? L'IDÉAL SERAIT QUE CE SOIT PRÊT AVANT LA PROCHAINE RÉUNION ÉDITORIALE. PUISQUE L'OBJECTIF EST DE STIMULER LEUR ESPRIT COMBATIF.
...
SANS LIMITE DE TEMPS, ALORS ?
OUI.
JE SUIS PERSUADÉ QUE CELA SERA BÉNÉFIQUE À NIIZUMA, À ASHIROGI ET À AKINA !
J'AI OUBLIÉ DE TE DIRE QU'AKINA EST DANS LA MÊME UNIVERSITÉ QU'AOKI... ELLE EN PROFITERA, ELLE AUSSI... TOUT COMME LES AUTRES SCÉNARISTES QUI SERONT PIQUÉS AU VIF PAR CETTE JEUNE AUTEURE.
BON, O.K., ÇA VA.
ENCORE FAUT-IL QUE NIIZUMA SOIT MOTIVÉ PAR CETTE HISTOIRE.
J'AI UN DOUTE SUR SON ENVIE DE TRAVAILLER AVEC UN SCÉNARISTE...
IL LE FERA ! TU VERRAS, J'EN SUIS SÛR !
EH BEN... IL EST TRÈS SÛR DE LUI...

NIIZUMA
SARL EIJI
ET ALORS ? ENSUITE ?
OOOOH ! IL EST NÉ !! C'EST UN POUSSIN ?!
QUOI !?

C'EST GÉNIAL, CETTE HISTOIRE ! LA SUITE ! VITE ! C'EST TROP EXCITANT !
IL VA SE BATTRE AVEC L'ÊTRE QU'IL A FAIT NAÎTRE ?!
OU BIEN IL VA EN FAIRE NAÎTRE PLEIN D'AUTRES ?!

IL N'Y A PAS ENCORE DE SUITE.
"PAS ENCORE" ?
PAS ENCORE ?!
GATCHAPIN !

ÇA SE TERMINE AU MEILLEUR MOMENT... CE SERA UNE HISTOIRE COMPLÈTE ? QUI VA LA DESSINER ?
TAC
TAC

RIEN N'EST ENCORE DÉCIDÉ. ON CHERCHE QUELQU'UN QUI POURRAIT DESSINER CELA DE LA MEILLEURE MANIÈRE...
!
DITES... ÇA VEUT DIRE QUE JE POURRAIS LE FAIRE ?

STOP ! PAS SI VITE !
TAC

SI TU VEUX LE FAIRE, PAS QUESTION DE METTRE "CROW" EN PAUSE ! ET PAS QUESTION NON PLUS DE BÂCLER "CROW" !
ON N'A PAS ENCORE DE DESIGN POUR LES PERSONNAGES, MAIS TU NE VEUX PAS FAIRE DES NEMUS VITE FAIT POUR VOIR ?
ROGER !
HÉ ! TU M'AS ÉCOUTÉ ?!
BOIIIING !
SAT !
SAT !
TAC TAC
SAT
SAT
SPLASH !
SPLASH !
TAC
DODODODODO !
EH ! EH !
POWER ! POWER !
MOVE !
ET RE-SPLASH ! SPLASH !
C'EST EXACTEMENT CE QUE VOULAIT HATTORI !
C'EST AMUSANT DE DESSINER UNE HISTOIRE À LAQUELLE JE N'AURAIS PAS PENSÉ !
SHUPIPIN !!
HÉ LÀ...
BRRR... BRRR...
CRAC !
VOILÀ !
J'AI PEUR ! J'AI PEUR !
GOOOO...
GRRR GRRR
TAC
ET VOILÀ.

BON SANG... C'EST GÉNIAL...
JE ME DOUTAIS QUE ÇA AMÉLIORERAIT L'HISTOIRE, MAIS PAS JUSQUE-LÀ...
IMPOSSIBLE DE LAISSER ÇA DE CÔTÉ... ATTENDS... IMAGINE QUE ÇA PLAISE VRAIMENT...

NIIZUMA ! TU PERMETS QU'ON EN PARLE À NOS SUPÉRIEURS ?
LA CONDITION SERA DE NE PAS LÂCHER "CROW" ET DE NE PAS LE BÂCLER !
!
ÇA VOUS PLAIT ? ÇA VEUT DIRE QUE JE PEUX DESSINER CETTE HISTOIRE ?
!
MAIS SI JE DESSINE ÇA...

... JE VEUX EN FAIRE UNE SÉRIE !!
QUOI ?! NE DIS PAS DE BÊTISES !!
O.K. ! JE VAIS DEMANDER À AKINA D'ÉCRIRE LES DEUX PROCHAINS CHAPITRES, ET ON FERA PASSER LE PROJET À LA PROCHAINE RÉUNION ÉDITORIALE !
HATTORI !

AKINA EST UNE RIVALE DE TAKAGI DEPUIS LE COLLÈGE.
SI ON FAIT ÇA, JE TE GARANTIS QU'ASHIROGI VA BOUILLIR !
EH !

YÛJIRÔ, ON VA LE FAIRE EN SÉRIE.
HÉ HÉ

NE PLAISANTE PAS AVEC ÇA ! DEUX SÉRIES EN MÊME TEMPS...

BEAUCOUP DE DESSINATEURS DES ANNÉES 60 ET 70 AVAIENT PLUSIEURS SÉRIES DANS DES HEBDOMADAIRES ! C'EST AUSSI CE QUE JE VEUX FAIRE.
JE POURRAIS DESSINER POUR LE "WIIK" OU LE "THREE"...

POUR LA CONCURRENCE ? PAS QUESTION !
BON, BEN, DANS LE JUMP ALORS !

*** AKECHI GORO. ** THREE. * WIIK.

DEUX SÉRIES D'UN MÊME AUTEUR DANS LE JUMP ? ÇA NE S'EST JAMAIS VU !
IL FAUT CRÉER UN PRÉCÉDENT !
ET TU CROIS QU'IL A LE TEMPS POUR ÇA ?!
OH ! YÛJIRÔ ! VOUS SAVEZ TRÈS BIEN QU'IL ME FAUT UN JOUR POUR LES NEMUS ET DEUX JOURS POUR FINIR LES PLANCHES !
IL SUFFIRA D'AUGMENTER LE NOMBRE D'ASSISTANTS.
EN PLUS, C'EST UN TRAVAIL AVEC UN SCÉNARISTE. LÀ, POUR LES NEMUS DE 45 PAGES, IL N'A MÊME PAS MIS UNE HEURE.
BAM
BAM
JE SUIS MISTER NO PROBLEMO !

MAIS, AVANT DE FAIRE PASSER LES NEMUS EN RÉUNION, IL FAUT QU'ON EXPLIQUE BIEN LA SITUATION À NOS SUPÉRIEURS, SINON...
NIIZUMA, PEUX-TU DESSINER CES NEMUS À LA MANIÈRE DE QUELQU'UN D'AUTRE ?
TAC
DE FAÇON À CE QU'ON NE RECONNAISSE PAS MON STYLE, ÇA VOUS VA ?
PARFAIT !
ET VOILÀ LA NAISSANCE D'UN NOUVEL AUTEUR PLEIN D'AVENIR !
ON VA UTILISER UN PSEUDONYME.
ROGER !!
CLANG CLANG DAM DAM
S'IL EST RETENU À LA RÉUNION, ON EXPLIQUERA TOUT. QUAND ILS APPRENDRONT QUE NIIZUMA A PU FAIRE ÇA, ILS SERONT OBLIGÉS D'ACCEPTER.
JE FAIS PARTIE D'UNE OPÉRATION SECRÈTE ? C'EST TROP COOL !
...
ZAAAA BABABABA
IL A RETROUVÉ DU DYNAMISME. ÇA NE DEVRAIT PAS AVOIR D'EFFET NÉGATIF SUR "CROW". AU CONTRAIRE.
HATTORI... TU AVAIS TOUT PRÉVU DEPUIS LE DÉBUT, HEIN ?
HEIN ? NON, ÇA ME DÉPASSE...
MENTEUR.
JE VAIS AVOIR DEUX SÉRIES DANS LE JUMP ET ÊTRE LE N° 1 DES MANGAKAS !
HATTORI, SI ÇA MARCHE BIEN, ON SE PARTAGE LES FLEURS...
O.K. JE SERAI SÛREMENT SON RESPONSABLE SI LA SÉRIE SE FAIT, MAIS TOUT ÇA DOIT RESTER SECRET JUSQU'À LA RÉUNION...

BAKUMAN 8
CULOTTES ENTRAPERÇUES ET MESSIE (FIN)

LES NEMUS D'OHBA

LES NEMUS D'OBATA

Les planches terminées !

BAKUMAN - VOL. 8
Du découpage à la planche finie
Épisode 70 - pages 184-185